최상위 사고력을 위한 특별 학습 서비스

문제풀이 동영상
최고난도 문제를 동영상으로 제공하여 줍니다.

최상위 사고력 4B

펴낸날 [초판 1쇄] 2019년 6월 10일 [초판 3쇄] 2022년 12월 1일
펴낸이 이기열
대표저자 한헌조
펴낸곳 (주)디딤돌 교육
주소 (03972) 서울특별시 마포구 월드컵북로 122 청원선와이즈타워
대표전화 02-3142-9000
구입문의 02-322-8451
내용문의 02-323-9166
팩시밀리 02-338-3231
홈페이지 www.didimdol.co.kr
등록번호 제10-718호

초등 **4B**

상위권의 기준

최상위
사고력

수학 좀 한다면

선 하나를 내리긋는 힘!

직사각형이 있습니다.
윗변의 어느 한 점과 밑변의 두 끝을 연결한
삼각형을 만듭니다.

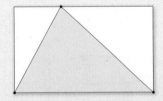

이 삼각형은 직사각형 전체 넓이의 얼마를 차지할까요?

옛 수학자가 이 문제를 푸느라
몇 날 며칠 밤, 땀을 뻘뻘 흘립니다.

그러다 문득!
삼각형의 위쪽 꼭짓점에서 수직으로 선을 하나 내리긋습니다.

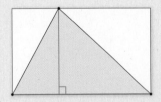

이제 모든 게 선명해집니다.

직사각형은 2개로 나뉘었고

각각의 직사각형은 삼각형의 두 변에 의해 반씩 나누어 집니다.

정답은 $\frac{1}{2}$

그러나 중요한 건 정답이 아닙니다.

문제를 해결하려 땀을 뻘뻘 흘리다, 뇌가 번쩍하며

선 하나를 내리긋는 순간!

스스로 수학적 개념을 발견하는 놀라움!

삼각형, 직사각형의 넓이 구하는 공식을 달달 외워

기계적으로 문제를 푸는 것이 아닌

진짜 수학적 사고력이란 이런 것입니다.

문제에 부딪혔을 때, 문제를 해결하는 과정 속에서

스스로 수학적 개념을 발견하고 해결하는 즐거움.

이러한 즐거운 체험의 연속이 수학적 사고력의 본질입니다.

선 하나를 내리긋는 놀라운 생각.

디딤돌 최상위 사고력입니다.

수학적 개념을 발견하고 해결하는 즐거운 여행

정답을 구하는 것이 목적이 아니라
생각하는 과정 자체가 목적이 되는 문제들로 구성하였습니다.

낯설지만 손이 가는 문제

어려워 보이지만 풀 수 있을 것 같은,
도전하고 싶은 마음이 생깁니다.

4-2. 모양을 겹쳐서 도형 만들기

1 겹쳐진 부분을 찾아 색칠하고 색칠한 도형의 개수를 각각 쓰시오.

삼각형 _____ 개

사각형 _____ 개

오각형 _____ 개

육각형 _____ 개

2 크기와 모양이 같은 삼각형 2개를 겹쳤을 때 겹쳐진 부분의 모양이 오각형과 육각형이 되도록 그리시오.

오각형

육각형

땀이 뻘뻘

첫 번째 문제와 비슷해 보이지만 막상 풀려면
수학적 개념을 세우느라 머리에 땀이 납니다.

뇌가 번쩍

앞의 문제를 자신만의 방법으로 풀면서 뒤죽박죽 생각했던 것들이
명쾌한 수학개념으로 정리됩니다. 이제 똑똑해지는 기분이 듭니다.

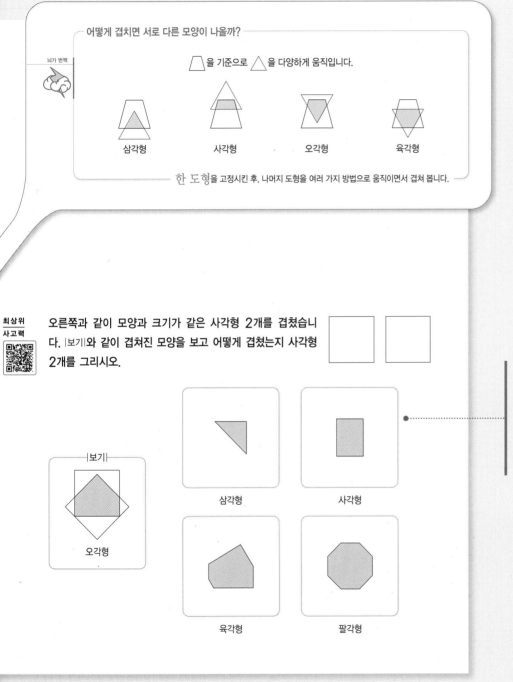

오른쪽과 같이 모양과 크기가 같은 사각형 2개를 겹쳤습니다. 보기와 같이 겹쳐진 모양을 보고 어떻게 겹쳤는지 사각형 2개를 그리시오.

최상위 사고력 문제

뇌가 번쩍을 통해 알게된 개념을
다양한 관점에서
이해하고 해석해 봄으로써
한 단계 더 깊게 생각하는
힘을 기릅니다.

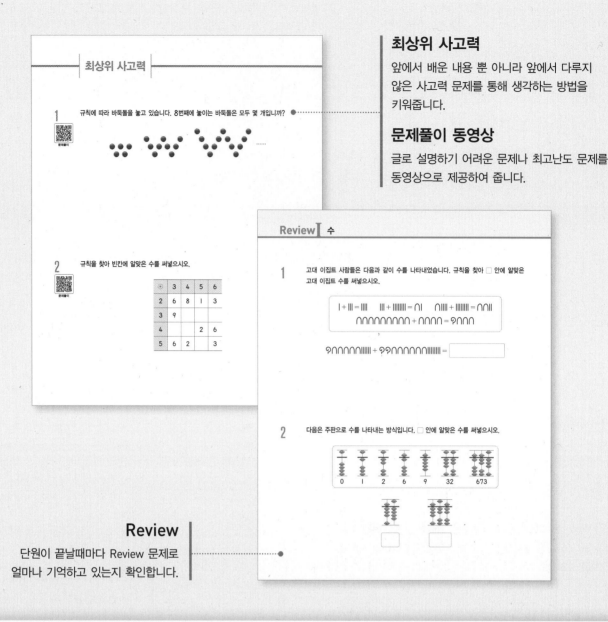

최상위 사고력

1 규칙에 따라 바둑돌을 놓고 있습니다. 8번째에 놓이는 바둑돌은 모두 몇 개입니까?

2 규칙을 찾아 빈칸에 알맞은 수를 써넣으시오.

최상위 사고력

앞에서 배운 내용 뿐 아니라 앞에서 다루지 않은 사고력 문제를 통해 생각하는 방법을 키워줍니다.

문제풀이 동영상

글로 설명하기 어려운 문제나 최고난도 문제를 동영상으로 제공하여 줍니다.

Review Ⅰ 수

1 고대 이집트 사람들은 다음과 같이 수를 나타내었습니다. 규칙을 찾아 □ 안에 알맞은 고대 이집트 수를 써넣으시오.

2 다음은 주판으로 수를 나타내는 방식입니다. □ 안에 알맞은 수를 써넣으시오.

Review

단원이 끝날때마다 Review 문제로 얼마나 기억하고 있는지 확인합니다.

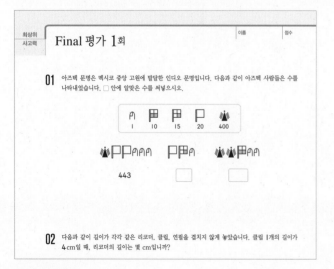

01 아즈텍 문명은 멕시코 중앙 고원에 발달한 인디오 문명입니다. 다음과 같이 아즈텍 사람들은 수를 나타내었습니다. □ 안에 알맞은 수를 써넣으시오.

02 다음과 같이 길이가 각각 같은 리코더, 클립, 연필을 겹치지 않게 놓았습니다. 클립 1개의 길이가 4 cm일 때, 리코더의 길이는 몇 cm입니까?

Final 평가

이 책에서 다룬 사고력 문제를 시험지 형식으로 풀어보며 실전 감각을 키웁니다.

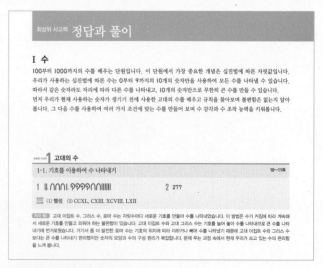

친절한 정답과 풀이

단원 배경 설명, 저자 톡!을 통해 문제를 선정하고 배치한 이유를 알려줍니다. 문제마다 좀 더 보기 쉽고, 이해하기 쉽게 설명하려고 하였습니다.

contents

연산

I

분수의 덧셈과 뺄셈

1-1. 조건을 만족하는 수

1 두 분수 ㉠과 ㉡의 합을 구하시오.

> ㉠ 분모와 분자의 합이 20, 차가 6인 진분수
> ㉡ 분모와 분자의 합이 38, 차가 12인 가분수

땀이 뻘뻘

2 다음 조건을 만족하는 세 분수 ㉠, ㉡, ㉢을 차례로 구하시오.

$$㉠+㉡=3\frac{7}{8}$$

$$㉡+㉢=3\frac{2}{8}$$

$$㉢+㉠=2\frac{3}{8}$$

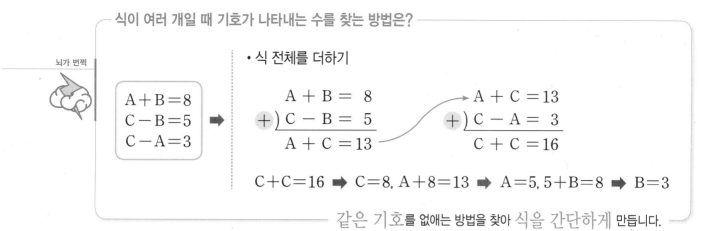

식이 여러 개일 때 기호가 나타내는 수를 찾는 방법은?

• 식 전체를 더하기

$$A + B = 8$$
$$C - B = 5$$
$$C - A = 3$$

$$\begin{array}{r} A + B = 8 \\ +)\ C - B = 5 \\ \hline A + C = 13 \end{array}$$

$$\begin{array}{r} A + C = 13 \\ +)\ C - A = 3 \\ \hline C + C = 16 \end{array}$$

$C+C=16$ ➡ $C=8$, $A+8=13$ ➡ $A=5$, $5+B=8$ ➡ $B=3$

같은 기호를 없애는 방법을 찾아 식을 간단하게 만듭니다.

최상위 사고력

다음 조건을 만족하는 세 분수 ㉠, ㉡, ㉢의 합을 구하시오.

$$㉠ - ㉡ = 1\frac{4}{6}$$
$$㉠ - ㉢ = \frac{3}{6}$$
$$㉡ + ㉢ = 4\frac{3}{6}$$

1-2. 기호가 나타내는 수

1 대분수의 덧셈식에서 ●, ▲, ■는 1부터 9까지의 수 중 서로 다른 자연수입니다. 다음을 만족하는 ●, ▲, ■로 만들 수 있는 세 자리 수 ●▲■ 중에서 가장 큰 수와 가장 작은 수를 차례로 구하시오.

$$● \frac{3}{6} + ▲ \frac{■}{6} = 8\frac{2}{6}$$

땀이 뻘뻘

2 대분수의 덧셈식에서 ●, ▲은 1부터 9까지의 수 중 서로 다른 자연수입니다. ●, ▲가 나타내는 수를 구하시오.

$$● \frac{1}{▲} + ● \frac{2}{▲} + ● \frac{3}{▲} + ● \frac{4}{▲} = 18$$

예 $2+4+6+8+10+12+14+16$

$$+\begin{array}{c} 2+\ 4+\ 6+\ 8+10+12+14+16 \\ 16+14+12+10+\ 8+\ 6+\ 4+\ 2 \\ \hline 18+18+18+18+18+18+18+18 \end{array}$$

→ 가우스 합의 방법이라고 합니다.

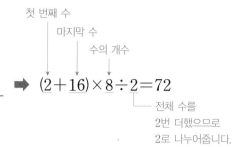

첫 번째 수
마지막 수
수의 개수

➡ $(2+16)\times 8 \div 2 = 72$

전체 수를
2번 더했으므로
2로 나누어줍니다.

((첫 번째 수)+(마지막 수))×(수의 개수)÷2로 구합니다.

최상위 사고력 A

규칙에 따라 수를 늘어놓은 것입니다. ■가 나타내는 수를 구하시오.

$$\frac{1}{\blacksquare}+\frac{2}{\blacksquare}+\cdots\cdots+\frac{\blacksquare-1}{\blacksquare}+\frac{\blacksquare}{\blacksquare}=10$$

최상위 사고력 B

규칙에 따라 수를 늘어놓은 것입니다. 16번째 수까지의 합이 56일 때 ▲가 나타내는 수를 구하시오.

$$\frac{2}{7}+\frac{2+\blacktriangle}{7}+\frac{2+\blacktriangle+\blacktriangle}{7}+\frac{2+\blacktriangle+\blacktriangle+\blacktriangle}{7}+\cdots\cdots$$

정답과 풀이 11쪽 ▶

1-3. 규칙과 분수

1 규칙에 따라 수를 늘어놓은 것입니다. ㉠과 ㉡의 10번째 분수의 차를 구하시오.

$$㉠ \ \frac{2}{6}, \ 1\frac{1}{6}, \ 2, \ 2\frac{5}{6}, \ 3\frac{4}{6}, \ 4\frac{3}{6} \cdots\cdots$$

$$㉡ \ \frac{2}{6}, \ \frac{3}{6}, \ \frac{5}{6}, \ 1\frac{2}{6}, \ 2\frac{1}{6}, \ 3\frac{3}{6}, \ 5\frac{4}{6} \cdots\cdots$$

땀이 뻘뻘

2 규칙에 따라 수를 늘어놓은 것입니다. 첫 번째 수부터 20번째 수까지의 합을 구하시오.

$$1, \ 1\frac{3}{4}, \ 2\frac{2}{4}, \ 3\frac{1}{4}, \ 4, \ 4\frac{3}{4}, \ 5\frac{2}{4}, \ 6\frac{1}{4}, \ 7, \ 7\frac{3}{4} \cdots\cdots$$

뇌가 번쩍

$$1\frac{1}{25}, 2\frac{4}{25}, 3\frac{7}{25}, 4\frac{10}{25}, 5\frac{13}{25}$$

방법1

① 자연수 부분과 분수 부분으로 나누어 규칙을 찾습니다.

$$1\frac{1}{25}, \; 2\frac{4}{25}, \; 3\frac{7}{25}, \; 4\frac{10}{25}, \; 5\frac{13}{25}$$

(+3 사이, +1 사이)

② 자연수는 자연수끼리, 분수는 분수끼리 모두 더합니다.

$$(1+2+3+4+5)$$
$$+\frac{(1+4+7+10+13)}{25}$$
$$=(1+5)\times 5 \div 2 + \frac{(1+13)\times 5 \div 2}{25}$$
$$=15+\frac{35}{25}=16\frac{10}{25}$$

방법2

① 대분수를 가분수로 고쳐서 분자의 규칙을 찾습니다.

$$\frac{26}{25}, \; \frac{54}{25}, \; \frac{82}{25}, \; \frac{110}{25}, \; \frac{138}{25}$$

(+28 사이)

② 모두 더합니다.

$$\frac{26}{25}+\frac{54}{25}+\frac{82}{25}+\frac{110}{25}+\frac{138}{25}$$
$$=\frac{(26+138)\times 5 \div 2}{25}$$
$$=\frac{410}{25}=16\frac{10}{25}$$

자연수, 분자, 분모의 규칙을 모두 찾아봅니다.

최상위
사고력

다음을 계산하시오.

$$\frac{2}{6}-\frac{1}{6}+\frac{4}{6}-\frac{2}{6}+\frac{8}{6}-\frac{4}{6}+\frac{16}{6}-\frac{7}{6}+\cdots\cdots+\frac{256}{6}-\frac{29}{6}$$

1 ●, ▲는 1부터 9까지의 수 중 서로 다른 자연수입니다. 계산 결과가 가장 클 때와 가장 작을 때의 값을 차례로 구하시오.

$$\frac{●}{●-▲} + \frac{▲}{●-▲}$$

2 왕이 금화 1000냥을 네 명의 아들에게 나누어주려고 합니다. 금화를 가장 많이 받게 되는 아들과 가장 적게 받게 되는 아들의 받게 되는 금화의 금액의 차는 얼마인지 구하시오.

첫째에게는 내가 가진 금화의 $\frac{3}{8}$을 주고, 둘째에게는 남은 금화의 $\frac{1}{5}$을 주겠다. 셋째에게는 첫째와 둘째에게 준 금화를 더한 금액의 절반을 주고, 막내에게는 남은 금화를 모두 주겠다.

3 규칙에 따라 수를 늘어놓은 것입니다. 10번째 수와 20번째 수의 차를 구하시오.

$$\frac{1}{4}, \ \frac{3}{4}, \ 1\frac{2}{4}, \ 2\frac{2}{4}, \ 3\frac{3}{4}\cdots\cdots$$

| 경시대회 기출 |

4 ☐ 안에 1부터 5까지의 자연수를 한 번씩 모두 써넣을 때 나올 수 있는 계산 결과가 8보다 큰 경우는 모두 몇 가지인지 구하시오.

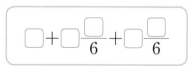

문제풀이

정답과 풀이 14쪽 ▶

2-1. 조건을 만족하는 소수의 계산

1 [1]에서 [8]까지의 수카드가 1장씩 있습니다. 이 수카드를 모두 한 번씩만 사용하여 소수의 뺄셈식을 완성하려고 합니다. 계산 결과가 가장 크게 되도록 식을 완성하시오.

$$6.\boxed{} - 1.7\boxed{} = \boxed{}.\boxed{}\boxed{}$$

땀이 뻘뻘

2 어떤 소수의 소수점을 뺀 수에서 처음 소수를 뺐더니 687.6이 되었습니다. 어떤 소수를 구하시오.

뇌가 번쩍

소수점을 잘못 찍은 소수의 계산 문제를 풀 때 생각해야 할 것은?

- 소수와 자연수의
  숫자 배열이 같습니다.

  $AB.C \Rightarrow ABC$
  $A.BC \Rightarrow ABC$

- 소수점 위치를 맞춰 세로셈으로
  나타냅니다.

$$
\begin{array}{r}
A\ B\ C \\
-\quad A\ B.C \\
\hline
\end{array}
\qquad
\begin{array}{r}
A\ B\ C \\
-\quad A.B\ C \\
\hline
\end{array}
$$

자연수 부분과 소수 부분의 자릿수를 생각합니다.

최상위 사고력

다음 소수의 덧셈식에서 어떤 소수의 소수점을 빠뜨리고 계산했더니 393.31이 되었습니다. 소수점을 빠뜨리고 계산한 수를 구하시오.

$$5.24 + 3.98 + 2.16 + 3.74 + 3.19 + 4.74$$

2-2. 점수 계산

1 체조 경기는 여러 명의 심사위원이 각각 매긴 점수 중에서 가장 높은 점수와 가장 낮은 점수를 제외한 나머지 점수의 합을 최종 점수로 합니다. 물음에 답하시오.

(1) 선수 3명이 받은 점수표입니다. 최종 점수가 높은 사람부터 차례로 이름을 쓰시오.

(단위: 점)

	심사위원 1	심사위원 2	심사위원 3	심사위원 4	심사위원 5
김명진	8.46	8.19	9.52	9.28	8.14
손승우	6.51	8.28	9.28	9.37	8.19
박진경	8.28	8.81	8.19	7.96	7.48

(2) 어떤 선수가 받은 점수표입니다. 최종 점수가 33.76점일 때 심사위원 4의 점수를 구하시오.

	심사위원 1	심사위원 2	심사위원 3	심사위원 4	심사위원 5	심사위원 6
점수(점)	8.52	9.75	8.89		9.27	7.06

뇌가 번쩍

체조 경기 점수표를 보고 알 수 있는 것은?

	심사위원 1	심사위원 2	심사위원 3	심사위원 4	최종 점수 : 8.2＋★
점수(점)	8.3	7.9	8.2	□	

가장 높은 점수와 가장 낮은 점수를 뺀 **나머지 점수**는 최종 점수에 **반드시** 포함됩니다.

최상위 사고력

어느 글짓기 대회에서는 심사위원 5명이 각각 소수 한 자리 수로 점수를 줍니다. 이 때 가장 낮은 점수와 가장 높은 점수를 제외한 나머지 점수의 합을 최종 점수로 합니다. 어떤 학생이 받은 점수표를 보고 빈칸에 들어갈 점수 중 더 높은 점수를 구하시오. (단, 심사위원 5명의 점수는 모두 다릅니다.)

	심사위원 1	심사위원 2	심사위원 3	심사위원 4	심사위원 5	최종 점수
점수(점)		7.3	6.9	7.1		20.7

정답과 풀이 18쪽 ▶

2-3. 규칙과 소수

땀이 뻘뻘

1 간단한 방법으로 계산하시오.

(1)
$$0.4+0.6+0.8+1+1.2+1.4+1.6+1.8+2+2.2+2.4+2.6$$

(2)
$$2.49+3.47+2.51+3.75+4.38+1.53+2.62+1.25$$

(3)
$$1.234+2.345+3.456+4.567+5.678+6.789+7.891+8.912+9.123$$

(4)
$$0.99-0.01+0.02-0.03+0.04-\cdots\cdots-0.97+0.98$$

(5)
$$1.1+1.91+1.991+1.9991+\cdots\cdots+1.999999991$$

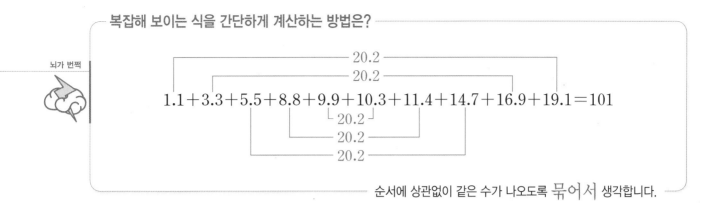

뇌가 번쩍

복잡해 보이는 식을 간단하게 계산하는 방법은?

$$1.1+3.3+5.5+8.8+9.9+10.3+11.4+14.7+16.9+19.1=101$$

순서에 상관없이 같은 수가 나오도록 묶어서 생각합니다.

최상위 사고력

간단한 방법으로 51번째 수까지 계산하시오.

$$0.03+0.04-0.01-0.02+0.07+0.08-0.05-0.06$$
$$+0.11+0.12-0.09-0.1+0.15+0.16-\cdots\cdots$$

정답과 풀이 19쪽 ▶

1   { }와 [ ]의 규칙을 보고 주어진 식을 계산하시오.

> {●}: ●보다 0.555 큰 수
> [▲]: ▲보다 큰 자연수 중에서 가장 작은 수

$$\{35.14-18.245\}+[2.768+3.94]$$

2   규칙에 따라 수를 늘어놓은 것입니다. 차례로 놓인 세 수의 합이 39.6일 때 이 세 수 중에서 가장 큰 수를 구하시오.

> 0.24, 0.28, 0.32, 0.36, 0.4, 0.44……

3

정답과 풀이 21쪽 ▶

| 경시대회 기출 |

㉠, ㉡, ㉢, ㉣, ㉤, ㉥은 2부터 9까지의 수 중 서로 다른 자연수입니다. 소수 ㉠.㉡㉢이 소수 ㉣.㉤㉥보다 클 때 ㉠.㉡㉢＋㉣.㉤㉥＝15.87인 서로 다른 식은 모두 몇 개인지 구하시오.

4

규칙에 따라 수를 나열한 것입니다. 9번째 수와 14번째 수의 차를 구하시오.

$$0.1,\ 0.23,\ 0.456,\ 0.7891,\ 0.23456,\ 0.789123\cdots\cdots$$

1 간단한 방법으로 계산하시오.

(1) $2.02 + 4.04 + 6.06 + 8.08 + 10.1 + 12.12 + 14.14 + 16.16 + 18.18$

(2) $1.5 + 1.95 + 1.995 + 1.9995 + \cdots\cdots + 1.9999999995$

(3) $\dfrac{3}{4} + 1\dfrac{1}{4} + 1\dfrac{3}{4} + 2\dfrac{1}{4} + 2\dfrac{3}{4} + \cdots\cdots + 5\dfrac{1}{4}$

2 ㉠, ㉡, ㉢, ㉣은 1부터 9까지의 수 중 서로 다른 자연수입니다. ㉠, ㉡, ㉢, ㉣이 나타내는 수를 차례로 구하시오.

문제풀이

$$
\begin{array}{r}
㉠\ ㉡.㉠\ ㉢ \\
+\ ㉠\ ㉣.㉡\ ㉠ \\
\hline
㉣\ ㉢\ ㉠.㉡\ ㉡
\end{array}
$$

3 어떤 소수의 소수점을 오른쪽으로 한 자리 옮긴 수와 왼쪽으로 한 자리 옮긴 수의 차는 456.39입니다. 어떤 소수를 구하시오.

4 ●, ▲은 서로 다른 자연수입니다. 대분수의 덧셈식에서 ●, ▲가 나타내는 수를 차례로 구하시오.

$$● \frac{1}{▲} + ● \frac{2}{▲} + ● \frac{3}{▲} + ● \frac{4}{▲} + \cdots + ● \frac{9}{▲} = 30$$

5 규칙에 따라 수를 늘어놓은 것입니다. 20번째 수를 구하시오.

문제풀이

> 1.1, 1.2, 1.19, 1.39, 1.37, 1.67, 1.64……

6 피겨스케이트 경기는 여러 명의 심사위원이 각각 매긴 점수 중에서 가장 높은 점수와 가장 낮은 점수를 제외한 나머지 점수의 합을 최종 점수로 합니다. 최종 점수가 27.64점일 때 가장 높은 점수를 준 심사위원을 쓰시오. (단, 심사위원의 점수는 모두 다릅니다.)

	심사위원 1	심사위원 2	심사위원 3	심사위원 4	심사위원 5
점수	9.17	8.93	8.58	9.54	

도형

3-1. 도형 맞추기

1 칠교판의 7조각을 모두 이용하여 직사각형을 만들었습니다. 이 도형에서 1조각을 연속하여 움직여서 주어진 도형을 만들려고 합니다. 움직여야 할 도형의 기호를 쓰시오.

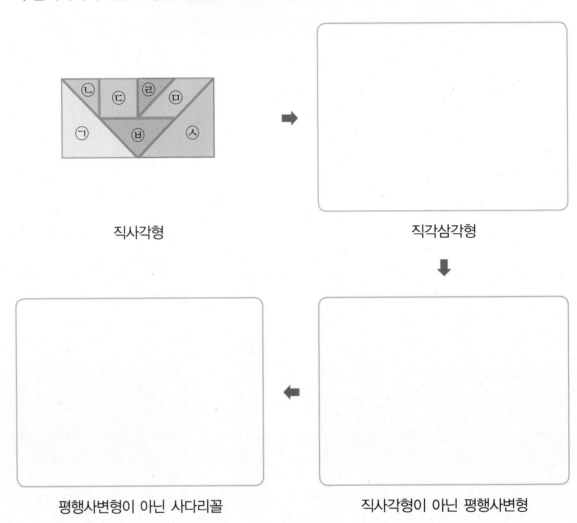

직사각형

직각삼각형

평행사변형이 아닌 사다리꼴

직사각형이 아닌 평행사변형

칠교판의 7조각을 모두 이용하여 오른쪽과 같이 알파벳 H 모양을 만들었습니다. 만드는 방법을 선을 그어 나타내시오. (단, 칠교판 조각을 돌리거나 뒤집어도 됩니다.)

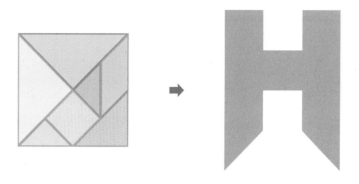

주어진 칠교판의 5조각 중에서 3조각을 이용하여 만들 수 있는 평행사변형은 모두 몇 가지 모양인지 구하시오. (단, 돌리거나 뒤집어서 같은 도형은 한 가지로 봅니다.)

정답과 풀이 24쪽 ▶

3-2. 도형 겹치기

1 모양과 크기가 같은 정사각형 2개를 겹쳤을 때 겹쳐진 부분을
보고 어떻게 겹쳤는지 |보기|와 같이 정사각형 2개를 그리시오.

|보기|

삼각형

사각형

오각형

2 모양과 크기가 같은 정삼각형 2개를 겹쳤을 때 겹쳐진 부분으로 나올 수 없는 도형을 고르
시오.

① 직각삼각형   ② 평행사변형   ③ 오각형

④ 마름모   ⑤ 육각형   ⑥ 평행사변형이 아닌 사다리꼴

뇌가 번쩍

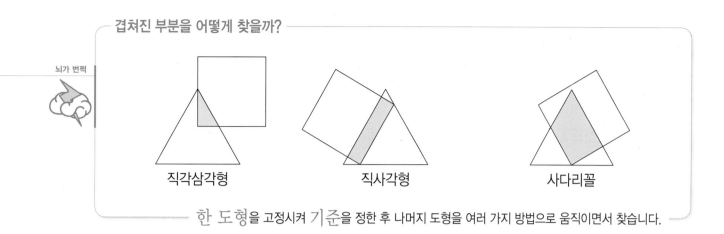

직각삼각형   직사각형   사다리꼴

한 도형을 고정시켜 기준을 정한 후 나머지 도형을 여러 가지 방법으로 움직이면서 찾습니다.

최상위 사고력

왼쪽 직사각형을 오른쪽으로 밀 때 겹쳐진 부분으로 나올 수 있는 도형을 |보기|에서 찾아 모두 쓰시오.

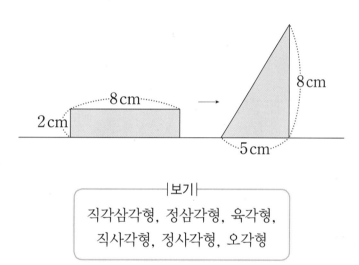

|보기|
직각삼각형, 정삼각형, 육각형,
직사각형, 정사각형, 오각형

3-3. 도형 자르기

땀이 뻘뻘

1 정육각형 모양의 색종이에 직선 2개를 그어 선을 따라 자르려고 합니다. 주어진 개수의 도형이 나오도록 직선 2개를 그으시오.

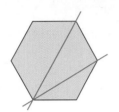

삼각형 2개
사다리꼴 1개

사다리꼴 4개

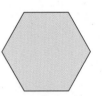

삼각형 2개
마름모 2개

사다리꼴 2개
육각형 1개

삼각형 1개
사다리꼴 3개

삼각형 1개
사다리꼴 1개
평행사변형 1개
오각형 1개

뇌가 번쩍

자른 도형이 다양하게 나오도록 직선을 그리는 방법은?

① 꼭짓점과 꼭짓점 잇기

② 꼭짓점과 변 잇기

③ 변과 변 잇기

정오각형 모양의 색종이를 점선을 따라 한 번 접은 후 직선 1개를 그어 선을 따라 자르려고 합니다. 나올 수 없는 도형을 모두 고르시오.

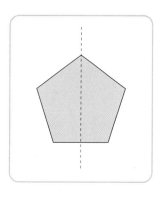

① 이등변삼각형   ② 정사각형   ③ 평행사변형이 아닌 사다리꼴   ④ 마름모
⑤ 오각형   ⑥ 정육각형   ⑦ 칠각형   ⑧ 팔각형

다음과 같이 색종이를 완전히 겹치도록 2번 접은 후 직선 2개를 그어 선을 따라 자르려고 합니다. 삼각형 6개, 사다리꼴 4개, 육각형 1개가 나오도록 직선 2개를 그으시오.

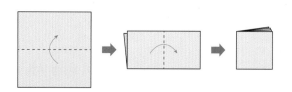

TIP 육각형 1개가 나오도록 자르는 방법을 먼저 생각합니다.

    정답과 풀이 27쪽 ▶

문제풀이

1 모양과 크기가 같은 직사각형 2개를 겹쳐서 겹쳐진 부분이 주어진 도형이 되도록 만들려고 합니다. 만드는 방법을 그리시오.

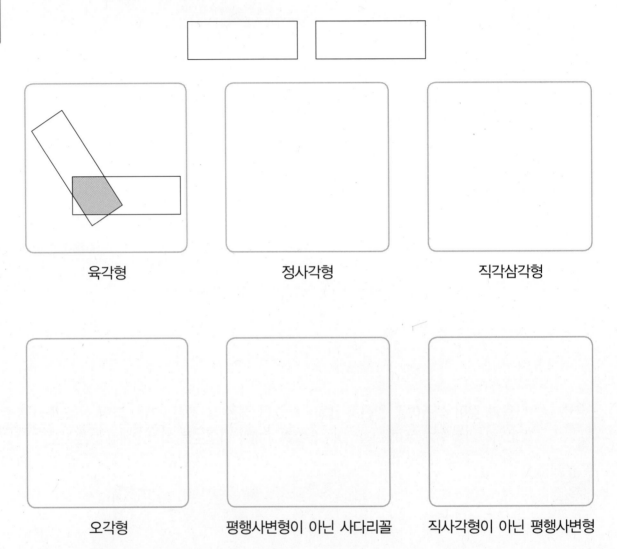

육각형

정사각형

직각삼각형

오각형

평행사변형이 아닌 사다리꼴

직사각형이 아닌 평행사변형

2 칠교판의 7조각 중에서 3조각을 이용하여 이등변삼각형을 만들려고 합니다. 필요하지 않는 조각을 모두 찾아 기호를 쓰시오.

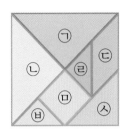

| 경시대회 기출 |

3 직사각형 모양의 조각을 선을 따라 4조각으로 자를 때 2조각 이상을 겹치지 않게 이어 붙여 만들 수 있는 평행사변형은 모두 몇 가지인지 구하시오.

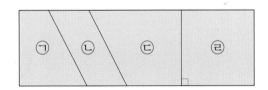

정답과 풀이 28쪽 ▶

4-1. 분류하여 도형의 개수 세기

땀이 뻘뻘

1 정사각형 3개와 직사각형 1개를 겹치지 않게 이어 붙인 후 도형 안에 평행한 두 쌍의 선을 그은 것입니다. 도형에서 찾을 수 있는 크고 작은 주어진 도형의 개수를 구하시오.

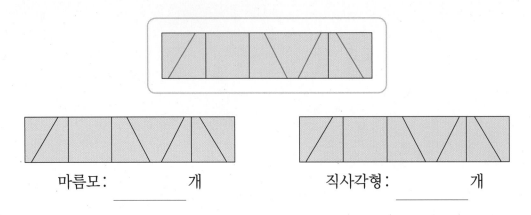

마름모: _____ 개   직사각형: _____ 개

평행사변형: _____ 개   평행사변형이 아닌 사다리꼴: _____ 개

빠뜨리거나 중복 없이 크고 작은 사각형의 개수를 세려면?

뇌가 번쩍

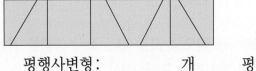

1조각짜리 사각형: 4개
2조각짜리 사각형: 3개 } 10개
3조각짜리 사각형: 2개
4조각짜리 사각형: 1개

작은 조각의 수에 따라 나누어 셉니다.

칠교판의 7조각을 모두 이용하여 정사각형을 만들었습니다. 선을 따라 그릴 수 있는 사다리꼴은 모두 몇 개인지 구하시오.

다음 그림에서 찾을 수 있는 크고 작은 마름모, 평행사변형, 사다리꼴의 개수를 차례로 구하시오.

정답과 풀이 29쪽 ▶

4-2. 규칙 찾아 도형의 개수 세기

1 다음 그림에서 찾을 수 있는 크고 작은 정사각형은 모두 몇 개인지 구하시오.

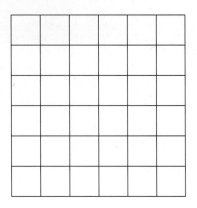

2 다음 그림에서 찾을 수 있는 크고 작은 평행사변형은 모두 몇 개인지 구하시오.

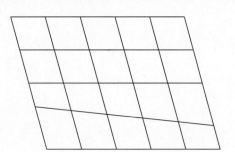

일정한 도형이 반복되는 모양에서 찾을 수 있는 도형의 개수를 구하는 방법은?

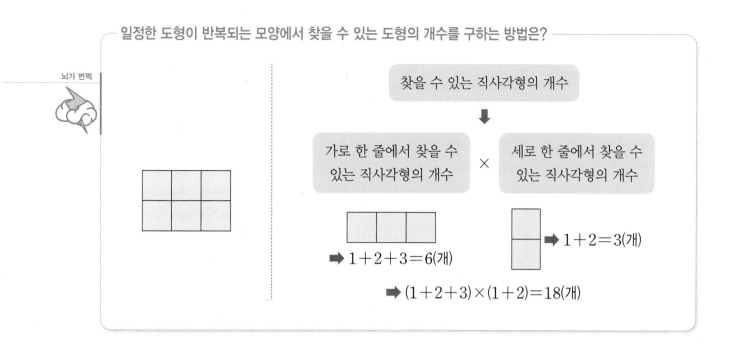

찾을 수 있는 직사각형의 개수

가로 한 줄에서 찾을 수 있는 직사각형의 개수 × 세로 한 줄에서 찾을 수 있는 직사각형의 개수

➡ $1+2+3=6$(개)

➡ $1+2=3$(개)

➡ $(1+2+3)\times(1+2)=18$(개)

최상위 사고력

다음 그림에서 찾을 수 있는 크고 작은 평행사변형은 모두 몇 개인지 구하시오.

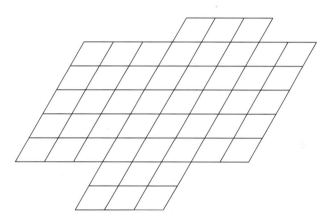

정답과 풀이 30쪽 ▶

4-3. 조건이 있는 도형의 개수 세기

1 다음 도형에서 ★을 포함하는 크고 작은 사각형은 모두 몇 개인지 구하시오.

(1)

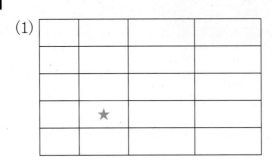

(2)

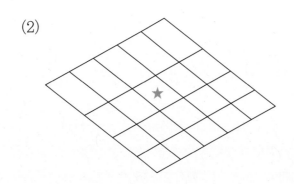

★을 포함하는 크고 작은 사각형의 개수를 구하는 방법은?

• 가로, 세로에 포함하는 사각형 이용하기

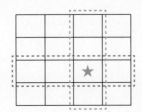

(★을 포함하는 가로 한 줄의 사각형의 개수)
×(★을 포함하는 세로 한 줄의 사각형의 개수)
=6×6=36(개)

• 점의 개수 이용하기

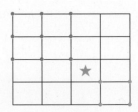

(★의 왼쪽 상단의 점 ●의 개수)
×(★의 오른쪽 하단의 점 ●의 개수)
=9×4=36(개)

다음 그림에서 ★ 을 포함하는 크고 작은 사각형은 모두 몇 개인지 구하시오.

다음 그림에서 찾을 수 있는 크고 작은 삼각형과 사각형의 개수를 차례로 구하시오.

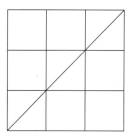

정답과 풀이 32쪽 ▶

1 다음 도형에서 찾을 수 있는 크고 작은 정사각형은 모두 몇 개인지 구하시오.

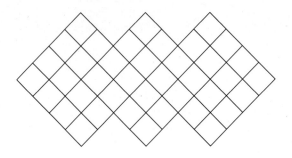

2 다음과 같이 크기가 같은 작은 정사각형을 겹치지 않게 이어 붙여서 큰 정사각형을 만들었습니다. 이때 만들어진 정사각형에서 찾을 수 있는 크고 작은 직사각형이 100개입니다. 만든 큰 정사각형은 작은 정사각형 몇 개로 만든 것인지 구하시오.

......

3 다음 도형에서 ♥을 포함하는 크고 작은 사각형은 모두 몇 개인지 구하시오.

문제풀이

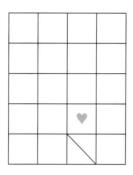

| 경시대회 기출 |

4 정사각형 4개를 겹치지 않게 이어 붙인 후 다음과 같이 선분을 그었습니다. 이 도형에서 찾을 수 있는 크고 작은 이등변삼각형은 모두 몇 개인지 구하시오.

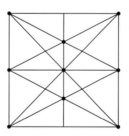

정답과 풀이 34쪽 ▶

5-1. 수직과 평행

1 일정한 간격으로 점이 찍힌 점판이 있습니다. 주어진 선분을 한 변으로 하는 마름모가 아닌 평행사변형을 모두 그리시오. (단, 찍힌 점을 이어서 그립니다.)

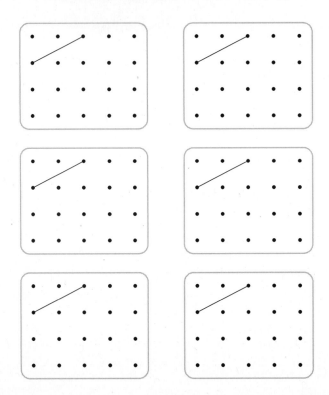

평행인 선분과 수직인 선분은 어떻게 알 수 있을까?

	평행인 선분	수직인 선분
1칸 2칸		
	오른쪽: 2칸, 위쪽: 1칸	오른쪽: 1칸, 아래쪽: 2칸

**최상위
사고력**

일정한 간격으로 찍힌 점을 이어서 그릴 수 있는 서로 다른 마름모는 모두 몇 가지인지 구하시오. (단, 돌리거나 뒤집어서 같은 도형은 한 가지로 봅니다.)

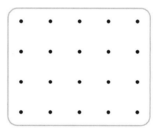

정답과 풀이 36쪽 ▶

5-2. 정삼각형과 이등변삼각형의 개수

1 일정한 간격으로 찍힌 점을 이어서 서로 다른 정삼각형을 모두 그리시오. (단, 돌리거나 뒤집어서 같은 도형은 한 가지로 봅니다.)

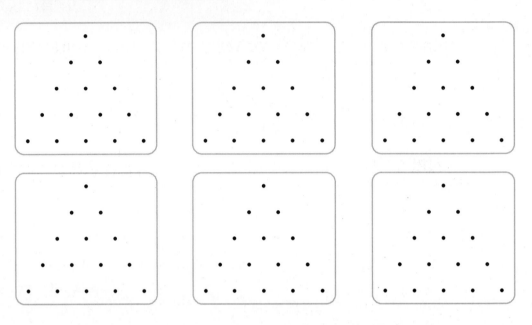

2 원 위에 8개의 점이 일정한 간격으로 찍혀 있습니다. 3개의 점을 이어서 그릴 수 있는 이등변삼각형은 모두 몇 개인지 구하시오.

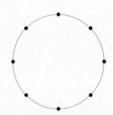

이등변삼각형을 그리는 방법은?

방법1 밑변을 기준으로 그리기

방법2 길이가 같은 두 변을 기준으로 그리기

최상위
사고력

일정한 간격으로 찍힌 점을 이어서 그릴 수 있는 서로 다른 이등변삼각형은 모두 몇 가지인지 구하시오. (단, 돌리거나 뒤집어서 같은 도형은 한 가지로 봅니다.)

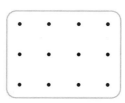

5-3. 원과 평면 위에 있는 삼각형의 개수

1 원 위에 점이 일정한 간격으로 찍혀 있습니다. 2개의 점을 이어서 그을 수 있는 선분의 개수를 구하시오.

(1)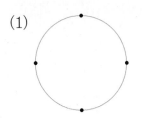

(2)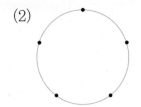

(3)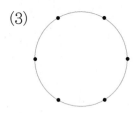

2 원 위에 7개의 점이 일정한 간격으로 찍혀 있습니다. 3개의 점을 이어서 그릴 수 있는 삼각형은 모두 몇 개인지 구하시오.

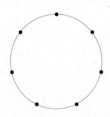

원 위에 있는 점을 이어서 그릴 수 있는 삼각형의 개수를 구하는 방법은?

① 원 위에 그을 수 있는 선분의 개수를 구합니다.

② 한 선분에 대하여 3개의 삼각형을 그릴 수 있습니다.

③ 각 삼각형은 세 변마다 한 번씩 그리게 되므로 같은 것이 3개가 중복됩니다.

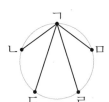

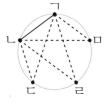

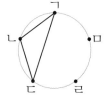

$4 \times 5 \div 2 = 10$(개)

$10 \times 3 = 30$(개)

$30 \div 3 = 10$(개)

그을 수 있는 (선분의 개수) × 선분 하나를 그으면 남는 (나머지 점의 개수) ÷ 3입니다.

최상위 사고력

9개의 점이 일정한 간격으로 찍혀 있습니다. 점을 이어서 그릴 수 있는 삼각형은 모두 몇 개인지 구하시오.

정답과 풀이 38쪽 ▶

1   두 직선 위에 이웃한 두 점 사이의 거리가 모두 같도록 찍혀 있습니다. 4개의 점을 이어서 그릴 수 있는 평행사변형은 모두 몇 개인지 구하시오.

2   반원 위에 7개의 점이 찍혀 있습니다. 3개의 점을 이어서 그릴 수 있는 삼각형은 모두 몇 개인지 구하시오.

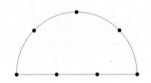

3

문제풀이

일정한 간격으로 점이 찍힌 점판이 있습니다. 주어진 선분을 한 변으로 하는 평행사변형이 아닌 사다리꼴을 모두 그리시오. (단, 찍힌 점을 이어서 그립니다.)

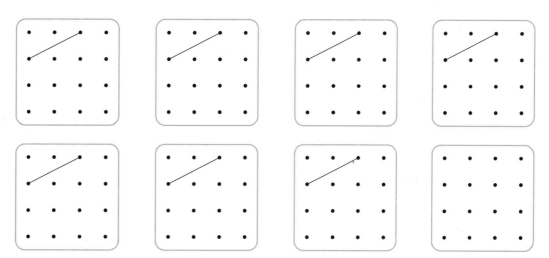

| 경시대회 기출 |

4

일정한 간격으로 점이 찍힌 점판이 있습니다. 두 대각선이 수직으로 만나는 사각형은 모두 몇 가지인지 구하시오. (단, 돌리거나 뒤집어서 같은 도형은 한 가지로 봅니다.)

1   직사각형 안에 직사각형의 가로와 수직인 선분 1개와 평행한 선분 2개를 그었습니다. 선을 따라 그릴 수 있는 사각형 중에서 평행사변형이 아닌 사다리꼴은 모두 몇 개인지 구하시오.

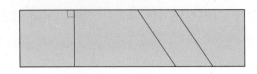

2   정사각형 1개와 직사각형 1개를 겹쳤을 때 겹쳐진 부분으로 나올 수 있는 도형이 아닌 것을 고르시오.

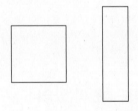

① 직사각형   ② 평행사변형이 아닌 사다리꼴   ③ 오각형

④ 직사각형이 아닌 평행사변형   ⑤ 직사각형이 아닌 마름모   ⑥ 육각형

3 다음 그림에서 ★을 포함하는 크고 작은 사각형은 모두 몇 개인지 구하시오.

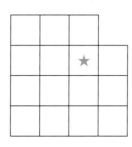

4 원 위에 10개의 점이 일정한 간격으로 찍혀 있습니다. 3개의 점을 이어서 만들 수 있는 삼각형은 모두 몇 개인지 구하시오.

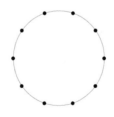

정답과 풀이 41쪽 ▶

5 칠교판의 ㉠, ㉡, ㉢, ㉣, ㉤ 5조각 중에서 일부분 또는 전체를 이용하여 만들 수 있는 크기가 서로 다른 정사각형을 모두 그리시오.

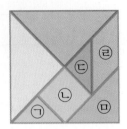

6 일정한 간격으로 점이 찍힌 점판이 있습니다. 도형 안에 점이 2개 있도록 평행사변형을 모두 그리시오. (단, 돌리거나 뒤집어서 같은 도형은 한 가지로 봅니다.)

문제풀이

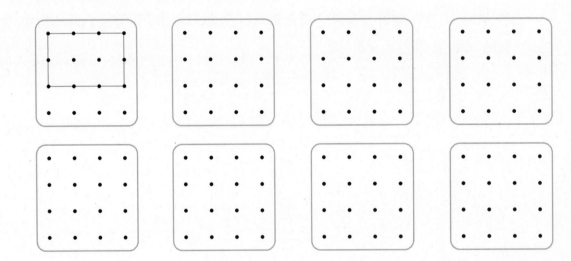

정답과 풀이 41쪽 ▶

측정

6-1. 이등변삼각형

1 삼각형 ㄱㄴㄷ에서 선분 ㄱㅇ, 선분 ㄴㅇ, 선분 ㄷㅇ의 길이는 모두 같습니다. ㉠의 크기를 구하시오.

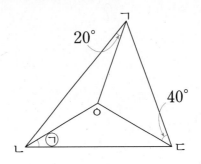

2 도형에서 선분 ㄱㄴ, 선분 ㄴㄷ, 선분 ㄷㄹ, 선분 ㄹㅁ, 선분 ㄹㅂ의 길이는 모두 같습니다. ㉠의 크기를 구하시오.

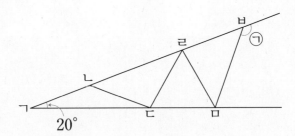

변 ㄱㄴ과 변 ㄱㄷ의 길이가 같을 때 생각해야 하는 것은?

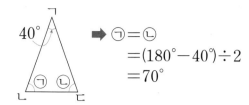

➡ ㉠＝㉡
＝(180°−40°)÷2
＝70°

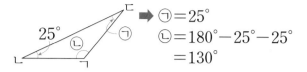

➡ ㉠＝25°
㉡＝180°−25°−25°
＝130°

두 각의 크기가 같음을 이용하여 나머지 각의 크기를 구합니다.

최상위 사고력

삼각형 ㄱㄴㄷ에서 변 ㄱㄴ과 변 ㄱㄷ의 길이가 같고, 삼각형 ㄱㄹㄷ에서 변 ㄱㄹ과 변 ㄹㄷ의 길이가 같습니다. ㉠의 크기를 구하시오.

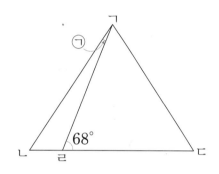

정답과 풀이 44쪽 ▶

6-2. 숨겨진 이등변삼각형

1 사각형 ㄱㄴㄷㄹ은 정사각형이고 삼각형 ㅁㄴㄷ은 정삼각형입니다. ㉠의 크기를 구하시오.

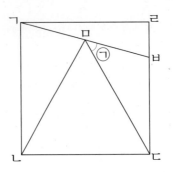

2 사각형 ㄱㄴㄷㄹ은 정사각형이고, 삼각형 ㅁㄱㄹ은 이등변삼각형입니다. 각 ㄱㄹㅁ의 크기가 70°일 때, 각 ㄹㅁㅂ의 크기를 구하시오.

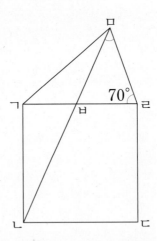

정삼각형을 정사각형과 한 변이 겹치도록 그린 도형에서 알 수 있는 것은?

바깥쪽에 그린 경우   안쪽에 그린 경우

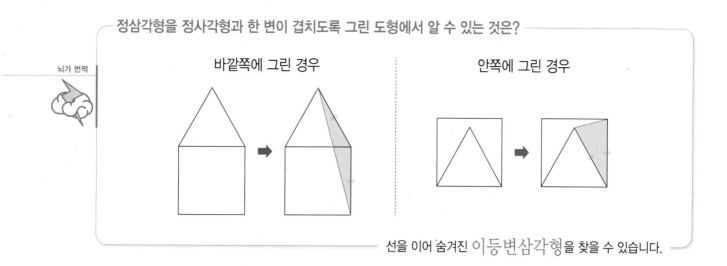

선을 이어 숨겨진 이등변삼각형을 찾을 수 있습니다.

최상위
사고력

사각형 ㄱㄴㄷㄹ은 정사각형, 삼각형 ㄹㄷㅂ은 정삼각형, 삼각형 ㄹㅁㄷ은 이등변삼각형입니다. 각 ㄱㅅㅁ의 크기를 구하시오.

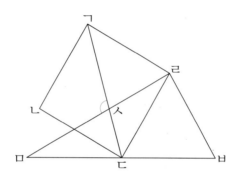

6-3. 정삼각형

1 한 변의 길이가 20 cm인 정삼각형에서 3개의 작은 정삼각형을 잘라내어 다음과 같이 육각형을 만들었습니다. 만들어진 육각형의 둘레를 구하시오.

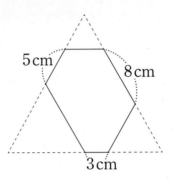

2 도형에서 각 ㄷㄹㄱ의 크기를 구하시오.

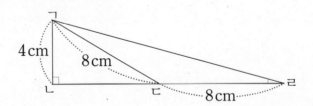

길이 또는 각도가 정해져 있는 직각삼각형일 때 생각해야 하는 것은?

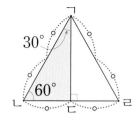

- 각도가 30°, 60°, 90°인 삼각형은 정삼각형의 반쪽입니다.
- 90°와 마주 보는 변의 길이가 다른 한 변의 길이의 2배인 직각삼각형은 정삼각형의 반쪽입니다.
- 한 변의 길이가 이웃하는 변의 길이의 2배이고 그 사이의 각이 60°인 삼각형은 정삼각형의 반쪽입니다.

정삼각형과의 관계를 생각해 봅니다.

최상위 사고력

지름이 12 cm인 원 위에 다음과 같이 삼각형을 그렸습니다. 점 ㅇ이 원의 중심일 때, 선분 ㄴㄷ의 길이를 구하시오.

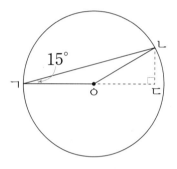

정답과 풀이 46쪽 ▶

1 똑같은 삼각자 2개를 놓은 후 두 꼭짓점을 다음과 같이 선으로 이었습니다. ㉠의 크기를 구하시오.

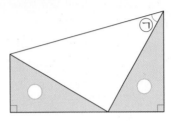

2 삼각형 ㄱㄴㄷ은 이등변삼각형이고 변 ㄱㄹ, 변 ㄷㄹ, 변 ㄴㄷ의 길이는 모두 같습니다. 각 ㄹㄴㄷ의 크기를 구하시오.

문제풀이

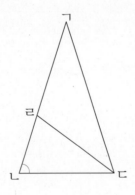

3   삼각형 ㄱㄴㄷ은 한 변이 10 cm인 정삼각형이고, 선분 ㄴㅂ의 길이는 3 cm, 선분 ㄱㅁ의 길이는 4 cm입니다. 각 ㄱㄹㅁ의 크기를 구하시오.

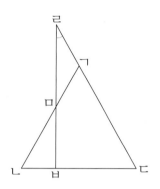

4   도형에서 변 ㄱㄴ, 변 ㄱㄹ, 변 ㄷㄹ의 길이가 모두 같습니다. 각 ㄱㄴㄷ의 크기를 구하시오.

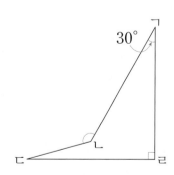

7-1. 평행선과 크기가 같은 각

1 직선 ㄹㅁ과 선분 ㄴㄷ이 평행할 때 삼각형의 세 각의 합이 180°임을 설명하시오.

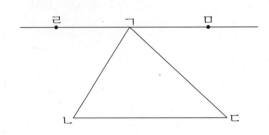

평행선과 한 직선이 만날 때 알 수 있는 각의 관계는?

뇌가 번쩍

(1) 동위각과 엇각

  동위각 : 서로 같은 위치에 있는 각
    ①과 ⑤, ②와 ⑥, ③과 ⑦, ④와 ⑧
  엇각 : 서로 엇갈린 위치에 있는 각
    ③과 ⑥, ④와 ⑤

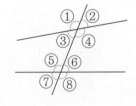

(2) 평행선과 한 직선이 만날 때 크기가 같은 각

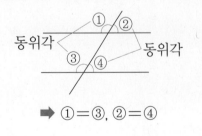

➡ ①=③, ②=④

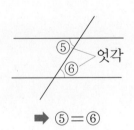

➡ ⑤=⑥

평행선과 한 직선이 만날 때 동위각과 엇각의 크기는 각각 같습니다.

직선 가, 직선 다, 직선 라가 서로 평행하고, 직선 마, 직선 바, 직선 아가 서로 평행할 때, 크기가 ㉠과 같은 각은 ㉠을 포함하여 모두 몇 개인지 구하시오.

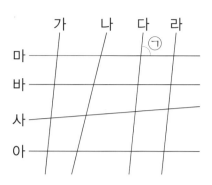

크기가 같은 정사각형 25개를 겹치지 않게 이어 붙인 후 9개의 선분을 그은 것입니다. ㉠, ㉡, ㉢, ㉣, ㉤의 크기의 합을 구하시오.

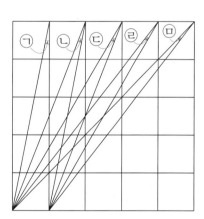

정답과 풀이 49쪽 ▶

7-2. 평행선 이용하기

1 직사각형 ㄱㄴㄷㄹ 안에 다음과 같이 2개의 선분을 그었습니다. ㉠, ㉡의 크기를 차례로 구하시오.

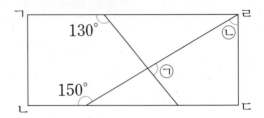

2 직선 가와 직선 나는 서로 평행합니다. ㉠, ㉡, ㉢, ㉣의 크기의 합을 구하시오.

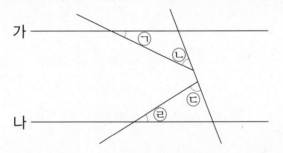

평행선과 한 직선이 만날 때 안쪽에 생기는 각의 성질은?

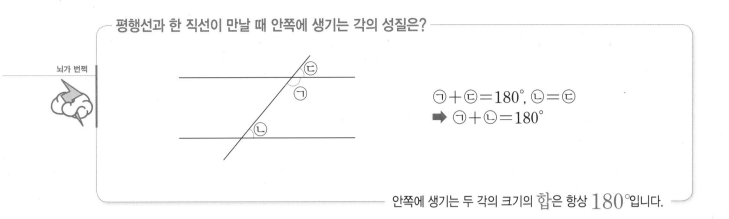

$$\bigcirc + \bigcirc = 180°, \quad \bigcirc = \bigcirc$$
➡ $\bigcirc + \bigcirc = 180°$

안쪽에 생기는 두 각의 크기의 합은 항상 $180°$입니다.

최상위 사고력

직선 가와 직선 나, 파란색 두 선분은 각각 서로 평행합니다. ㉠, ㉡, ㉢, ㉣, ㉤의 크기의 합을 구하시오.

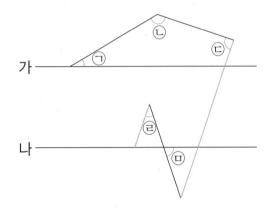

7-3. 보조선 긋기

1 직선 가와 직선 나는 서로 평행합니다. ㉠의 크기를 구하시오.

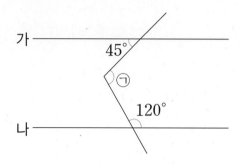

2 직선 가와 직선 나는 서로 평행합니다. ㉠과 ㉢의 크기가 같고, ㉡의 크기는 ㉠의 크기의 3배일 때 ㉡의 크기를 구하시오.

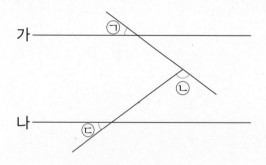

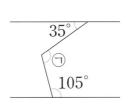
평행선 사이에 꺾인 부분이 있을 때 각의 크기를 구하는 방법은?

$35°$
$\bigcirc$
$105°$

방법1 평행선 긋기

$35°$
$35°$
$75°$
$75°$ $105°$

$\bigcirc=35°+75°=110°$

방법2 수선 긋기

$35°$
$\bigcirc$ $55°$
$105°$

$\bigcirc=360°-55°-105°-90°$
$=110°$

평행선 또는 수선을 긋습니다.

최상위
사고력

직선 가와 직선 나는 서로 평행합니다. ㉠의 크기를 구하시오.

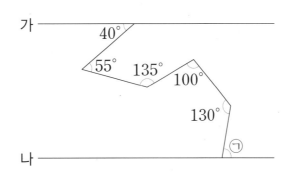

가

$40°$
$55°$ $135°$
$100°$
$130°$
$\bigcirc$

나

1 직선 가와 직선 나가 서로 평행할 때 ㉠, ㉡, ㉢, ㉣, ㉤의 크기의 합을 구하시오.

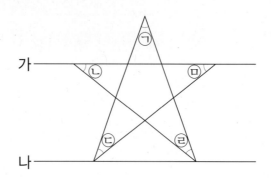

2 직선 가와 직선 나가 서로 평행할 때 ㉠과 ㉡의 크기의 차를 구하시오.

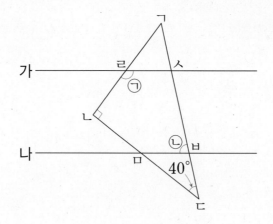

3 직선 가와 직선 나가 평행할 때 ㉠, ㉡, ㉢, ㉣의 크기의 합을 구하시오.

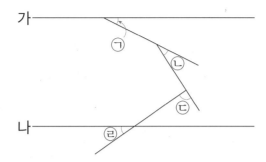

4 빛은 거울에 닿으면 앞으로 나아가지 못하고 다시 되돌아 나옵니다. 이때 빛이 거울로 들어가는 각인 입사각과 거울에서 반사되는 각인 반사각의 크기는 같습니다. 다음과 같이 평행한 두 거울에 서로 다른 빛을 쏠 때, ㉠의 크기를 구하시오.

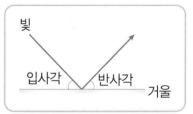

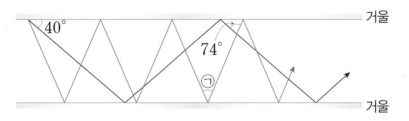

8-1. 평행사변형과 사다리꼴

1 평행사변형 ㄱㄴㄷㄹ에서 각 ㄱㄴㄷ과 각 ㄱㄹㄷ의 크기는 같습니다. 그 이유를 설명하시오.

TIP 평행사변형은 마주 보는 두 쌍의 변이 서로 평행한 사각형입니다.

2 사각형 ㄱㄴㄷㄹ은 사다리꼴입니다. ㉠의 크기를 구하시오.

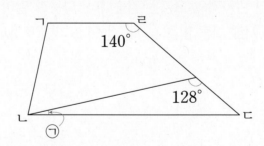

TIP 사다리꼴은 평행한 변이 한 쌍이라도 있는 사각형입니다.

반드시 알아야 하는 평행사변형의 성질은?

①
마주 보는 두 변의 길이가 같습니다.

②
마주 보는 두 각의 크기가 같고, 이웃한 두 각의 합은 180°입니다.

③
두 대각선은 서로 이등분합니다.
└─ 이웃하지 않는 두 꼭짓점을 이은 선분

최상위 사고력

평행사변형 ㄱㄴㄷㄹ 안에 다음과 같이 평행사변형 ㅁㅂㅅㅇ을 그렸습니다. 각 ㅂㅅㅇ의 크기를 구하시오.

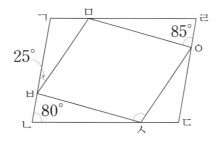

정답과 풀이 54쪽 ▶

8-2. 마름모

1 마름모 10개를 겹쳐지지 않게 이어 붙인 후 도형의 테두리만 그린 것입니다. ㄱ과 ㄴ의 크기를 차례로 구하시오.

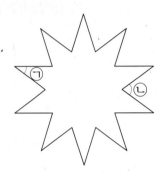

TIP 마름모는 네 변의 길이가 모두 같은 사각형입니다.

2 정사각형 ㄱㄴㄷㄹ과 마름모 ㄹㄷㅁㅂ을 겹치지 않게 이어 붙인 것입니다. 각 ㅁㄴㄷ의 크기를 구하시오.

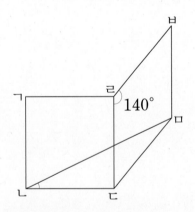

①

마주 보는 두 쌍의 변이 서로 평행합니다.

②

마주 보는 두 각의 크기가 같고, 이웃한 두 각의 크기의 합은 180°입니다.

③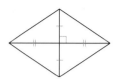

두 대각선은 서로 이등분하고, 수직으로 만납니다.

최상위 사고력

사각형 ㄱㄴㄷㄹ은 마름모이고 변 ㄱㄹ과 선분 ㄱㅁ의 길이는 같습니다. 각 ㄴㄷㄹ의 크기를 구하시오.

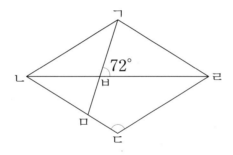

1 정오각형 ㄱㄴㄷㄹㅁ 안에 다음과 같이 정삼각형 ㅁㅂㄹ을 그린 후 선분 ㅂㄷ을 그었습니다. 각 ㄹㄷㅂ의 크기를 구하시오.

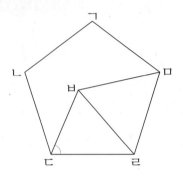

2 정육각형에 다음과 같이 대각선을 2개 그었습니다. ㉠, ㉡, ㉢의 크기를 차례로 구하시오.

땀이 뻘뻘

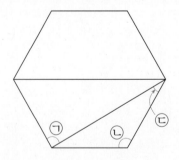

정다각형의 한 각의 크기를 구하는 방법은?

정다각형	정삼각형	정사각형	정오각형	정육각형
삼각형의 수	1	2	3	4
모든 각의 합	$180°$	$180° \times 2$	$180° \times 3$	$180° \times 4$
한 각의 크기	$180° \div 3$	$180° \times 2 \div 4$	$180° \times 3 \div 5$	$180° \times 4 \div 6$

(정■각형의 한 각의 크기) $= 180° \times (\blacksquare - 2) \div \blacksquare$ 입니다.

최상위 사고력

정오각형 안에 다음과 같이 2개의 선분을 그었습니다. ㉠의 크기를 구하시오.

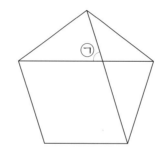

정답과 풀이 57쪽 ▶

| 경시대회 기출 |

1 직사각형 ㄱㄴㄷㄹ 안에 다음과 같이 평행사변형 ㅁㅂㅅㅇ을 그렸습니다. ㉠의 크기를 구하시오.

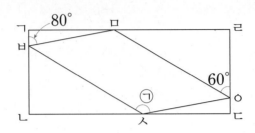

2 정육각형에 다음과 같이 대각선을 2개 그었습니다. ㉠의 크기를 구하시오.

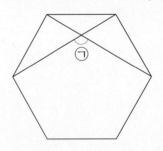

3

문제풀이

사각형 ㄱㄴㄷㄹ은 마름모이고, 사각형 ㄹㄴㄷㅁ은 평행사변형입니다. ㉠의 크기를 구하시오.

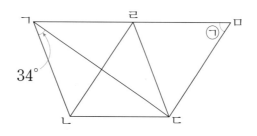

4

문제풀이

삼각형, 마름모, 사다리꼴을 다음과 같이 겹치지 않게 이어 붙였습니다. ㉠의 크기를 구하시오.

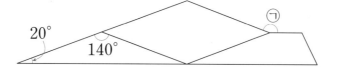

 정답과 풀이 58쪽 ▶

9-1. 겹쳐진 도형

1 정사각형 3개를 겹쳐 놓았습니다. ㉠, ㉡, ㉢의 크기를 차례로 구하시오.

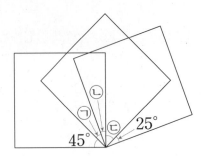

2 모양과 크기가 같은 마름모 2개를 겹쳐 놓았습니다. ㉠의 크기를 구하시오.

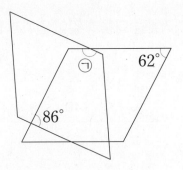

뇌가 번쩍

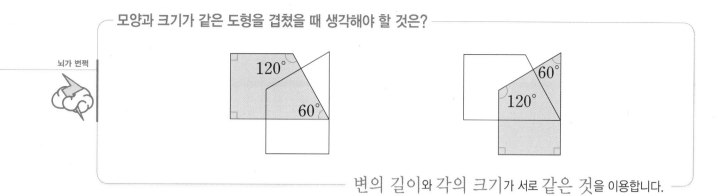

변의 길이와 각의 크기가 서로 같은 것을 이용합니다.

최상위 사고력

모양과 크기가 같은 직각삼각형 2개를 겹쳐 놓았습니다. 변 ㄹㅁ과 변 ㄴㄷ이 서로 평행할 때, 각 ㄹㅁㄷ의 크기를 구하시오.

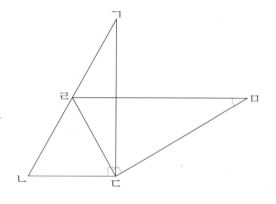

정답과 풀이 59쪽 ▶

9-2. 회전하는 도형

1 삼각형 ㄱㄴ'ㄷ'은 삼각형 ㄱㄴㄷ을 점 ㄱ을 중심으로 시계 방향으로 30°만큼 회전시킨 것입니다. ㉠의 크기를 구하시오.

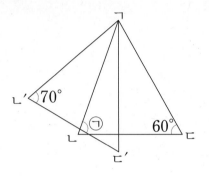

2 사각형 ㄱ'ㄴ'ㄷㄹ'은 사각형 ㄱㄴㄷㄹ을 점 ㄷ을 중심으로 시계 반대 방향으로 20°만큼 회전시킨 것입니다. ㉠의 크기를 구하시오.

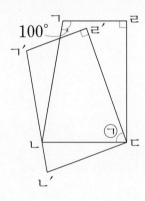

한 점을 중심으로 회전하는 도형에서 알 수 있는 것은?

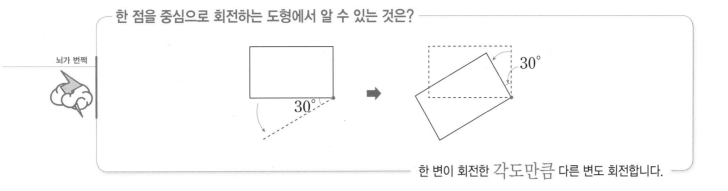

한 변이 회전한 각도만큼 다른 변도 회전합니다.

최상위 사고력

이등변삼각형 ㄱㄴㄷ을 점 ㄴ을 중심으로 시계 방향으로 20°씩 2번 회전시킨 다음 점 ㅁ과 점 ㅅ을 선으로 이은 것입니다. 물음에 답하시오.

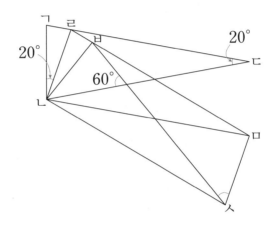

(1) 각 ㅂㄴㄷ의 크기를 구하시오.

(2) 각 ㄷㄴㅁ의 크기를 구하시오.

(3) 각 ㅂㅅㅁ의 크기를 구하시오.

9-3. 접힌 도형

1 다음과 같이 직사각형 모양의 종이를 접었습니다. 색칠한 삼각형 ㄱㄴㄷ은 어떤 삼각형인지 쓰시오.

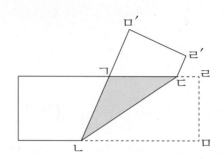

직사각형 모양의 종이를 접었을 때 알 수 있는 각도는?

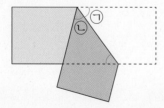

접기 전 부분의 ㉠의 크기와 접힌 부분의 ㉡의 크기가 같습니다.

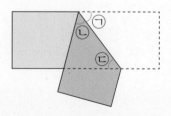

직사각형의 마주 보는 변은 평행하므로 ㉠과 ㉢은 크기가 같습니다. (엇각의 성질)

➡ ㉠ = ㉡ = ㉢

───── 크기가 같은 각을 찾을 수 있습니다.

다음과 같이 평행사변형 모양의 종이를 접었습니다. 각 ㄴ′ㅁㅂ의 크기를 구하시오.

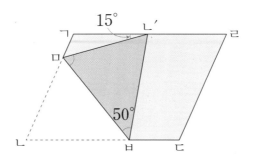

다음과 같이 원 모양의 종이를 4등분 한 후 그중 한 조각을 접었습니다. 각 ㅇ′ㄱㄴ의 크기를 구하시오.

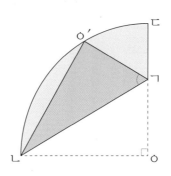

정답과 풀이 61쪽 ▶

최상위 사고력

1 종이 띠를 오른쪽과 같이 3번 접어서 안쪽 모양을 정삼각형으로 만들었습니다. 겹쳐진 부분의 모양도 정삼각형일 때, 사용한 종이띠의 길이를 구하시오.

문제풀이

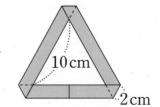

2 다음과 같이 직사각형 모양의 종이를 접었습니다. ㉡+㉢×2의 크기를 구하시오.

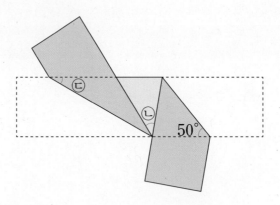

3 두 직각삼각형을 화살표 방향으로 이동시키면서 겹쳐지는 부분을 관찰하였습니다. 겹쳐진 부분으로 이루어진 도형에서 찾을 수 있는 서로 다른 크기의 각은 모두 몇 가지인지 구하시오.

(단, 180°보다 작은 각만 찾습니다.)

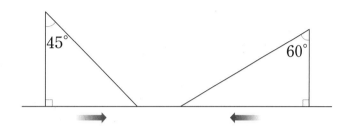

4 다음과 같이 정사각형 모양의 종이를 접었습니다. 각 ㄱ′ㅅㄹ의 크기를 구하시오.

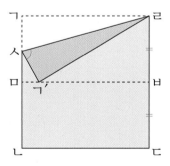

정답과 풀이 62쪽 ▶

10-1. 정다각형의 한 내각의 크기

1 다음 도형은 정십이각형입니다. ㉠의 크기를 구하시오.

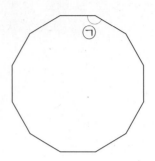

2 다음은 변의 길이가 같은 정사각형과 정오각형의 두 변이 이루는 각을 한 각으로 하는 정다각형의 일부분입니다. 이 도형의 이름을 쓰시오.

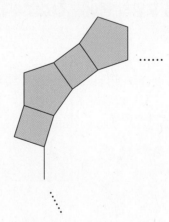

공식을 이용하지 않고 정다각형의 한 각의 크기를 구하는 방법은?

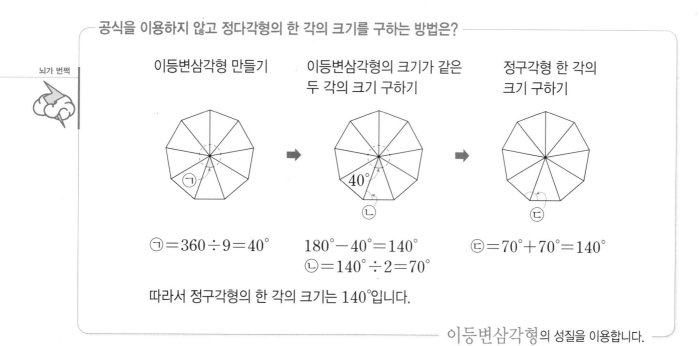

이등변삼각형 만들기

이등변삼각형의 크기가 같은
두 각의 크기 구하기

정구각형 한 각의
크기 구하기

$\bigcirc = 360 \div 9 = 40°$

$180° - 40° = 140°$
$\bigcirc = 140° \div 2 = 70°$

$\bigcirc = 70° + 70° = 140°$

따라서 정구각형의 한 각의 크기는 140°입니다.

이등변삼각형의 성질을 이용합니다.

**최상위
사고력**

다음과 같이 크기가 같은 정오각형을 겹치지 않게 이어 붙여 양 끝이 맞붙도록 하여 고리 모양을 만들려고 합니다. 필요한 정오각형은 모두 몇 개인지 구하시오.

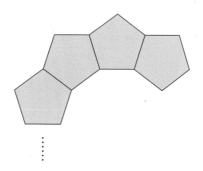

정답과 풀이 64쪽 ▶

10-2. 한 가지 도형으로 테셀레이션 하기

같은 모양의 조각들을 서로 겹치거나 틈이 생기지 않게 늘어놓아 평면이나 공간을 덮는 것

1 다음 중 테셀레이션을 할 수 없는 도형을 모두 고르시오.

① 　② 　③ 　④

⑤ 　⑥ 　⑦ 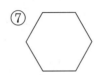　⑧

땀이 뻘뻘

2 정팔각형만으로는 테셀레이션을 할 수 없는 이유를 설명하시오.

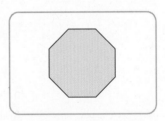

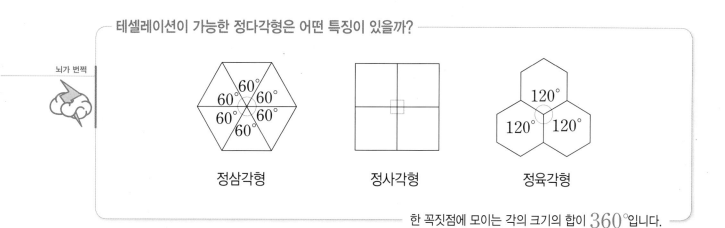

뇌가 번쩍

정삼각형   정사각형   정육각형

한 꼭짓점에 모이는 각의 크기의 합이 $360°$입니다.

최상위
사고력

삼각형과 사각형은 항상 테셀레이션을 할 수 있습니다. 점판 위에 주어진 도형과 모양과 크기가 같은 사각형을 그려 테셀레이션을 하시오. (단, 사각형을 적어도 6개는 그려야 합니다.)

정답과 풀이 65쪽 ▶

10-3. 여러 가지 도형으로 테셀레이션 하기

1 |보기|와 같이 정육각형의 둘레에는 변의 길이가 같은 정육각형 6개를 빈틈없이 붙일 수 있습니다. 오른쪽 정사각형의 둘레에 변의 길이가 정사각형과 같은 정다각형 4개를 빈틈없이 붙이려고 할 때, 붙일 수 있는 도형은 무엇인지 쓰시오.

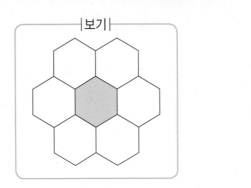

2 |보기|는 2종류의 정다각형으로 테셀레이션을 한 것입니다. 3종류의 정다각형을 사용하여 테셀레이션을 하려고 합니다. 필요한 3종류의 도형을 고르시오.

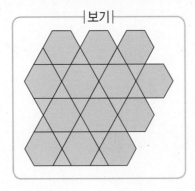

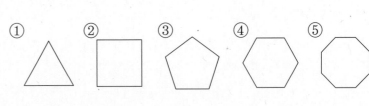

뇌가 번쩍

여러 종류의 정다각형으로 테셀레이션을 하는 방법은?

정삼각형과 정십이각형

$$60° + (150° \times 2) = 360°$$

정사각형과 정팔각형

$$90° + (135° \times 2) = 360°$$

한 꼭짓점에 모이는 각의 크기의 합이 $360°$가 되도록 이어 붙입니다.

최상위 사고력

|보기|는 정삼각형과 정육각형으로 테셀레이션을 한 것입니다. 서로 다른 방법으로 선을 그어 정삼각형과 정사각형으로 테셀레이션을 하시오.

|보기|

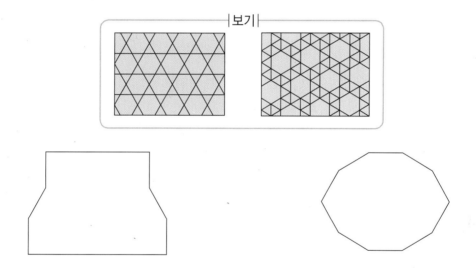

정답과 풀이 66쪽 ▶

1 길이가 3 cm인 선분을 이어 붙여서 정다각형을 만들려고 합니다. 만들어지는 정다각형의 둘레를 구하시오.

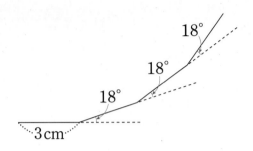

| 경시대회 기출 |

2 다음 칠교 조각을 여러 개 또는 모두 이어 붙여 정육각형을 만들 수 없습니다. 그 이유를 설명하시오.

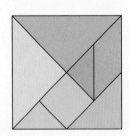

3

다음 중 테셀레이션을 할 수 있는 도형을 모두 고르시오.

① 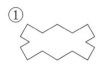   ②   ③   ④   ⑤

4

3종류의 정다각형을 사용하여 테셀레이션을 하려고 합니다. 필요한 3종류의 정다각형을 쓰시오.

정사각형   정오각형   정육각형   정팔각형   정십각형   정십이각형

1 사각형 ㄱㄴㄷㄹ은 평행사변형입니다. ㉠의 크기를 구하시오.

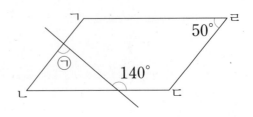

2 평행하지 않은 두 변의 길이가 같은 사다리꼴 20개를 다음과 같이 겹치지 않게 이어 붙여서 고리 모양을 만들려고 합니다. ㉠의 크기를 구하시오. (단, 사다리꼴 20개의 모양과 크기는 모두 같습니다.)

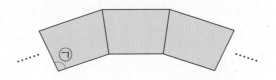

3 직선 가와 직선 나가 평행할 때 ㉠+㉡의 크기를 구하시오.

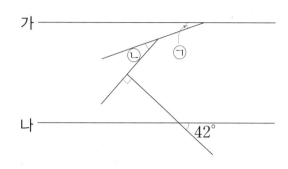

4 정사각형 ㄱㄴㄷㄹ에 정삼각형 ㄱㅁㄴ과 정삼각형 ㄹㄷㅂ을 겹치지 않게 이어 붙인 것입니다. 각 ㅁㅅㅂ의 크기를 구하시오.

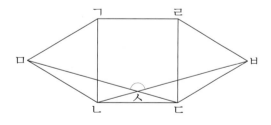

5 삼각형 ㄱ'ㄴ'ㄷ은 삼각형 ㄱㄴㄷ을 점 ㄷ을 중심으로 시계 방향으로 30°만큼 회전시킨 것입니다. ㉠의 크기를 구하시오.

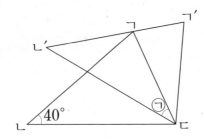

6 마름모 모양의 종이를 다음과 같이 접었습니다. ㉠과 ㉡의 크기를 차례로 구하시오.

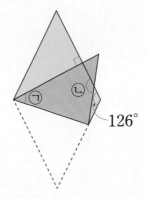

확률과 통계

확률과 통계

11-1. 악수하기

1 동아리 친구들이 서로 한 번씩 악수를 하였습니다. 동아리 친구들이 한 악수는 모두 몇 번인지 구하시오.

(1) 독서 동아리

> 민수, 수영, 정우, 병호, 홍철

(2) 댄스 동아리

> 동우, 민정, 진아, 경수, 민경, 승하

2 9쌍의 부부가 어느 모임에서 처음 만나서 서로 악수를 하였습니다. 부부끼리는 서로 악수를 하지 않는다고 할 때 9쌍의 부부들이 한 악수는 모두 몇 번인지 구하시오.

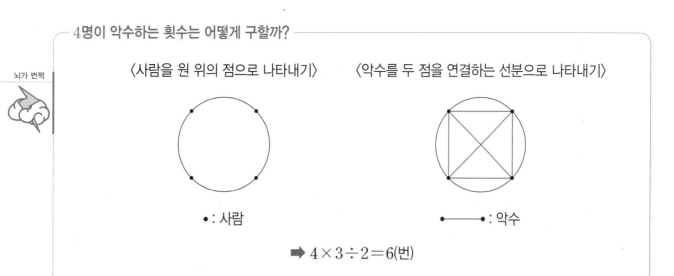

4명이 악수하는 횟수는 어떻게 구할까?

〈사람을 원 위의 점으로 나타내기〉 　〈악수를 두 점을 연결하는 선분으로 나타내기〉

● : 사람　　　　　　　　　　　　　　　●——● : 악수

➡ $4 \times 3 \div 2 = 6$(번)

최상위 사고력

다음은 어떤 동아리에서 현재까지 친구들끼리 악수한 횟수를 나타낸 것입니다. 서로 한 번씩 악수를 하려면 앞으로 악수를 몇 번 더 해야 하는지 구하시오.

이름	민혁	상우	선호	가희	수아	형민	정선
악수한 횟수(번)	6	3	5	3	3	6	2

11-2. 리그와 토너먼트

1 A, B, C, D, E, F, G 7명이 다음과 같은 토너먼트 방식으로 탁구 경기를 합니다. 우승자가 정해질 때까지 경기를 모두 몇 번 해야 하는지 그림을 그려 구하시오.

> • 한 번에 두 명씩만 경기를 할 수 있습니다.
> • 경기에서 이긴 사람만 다른 사람과 경기를 할 수 있습니다.
> • 마지막에 남은 한 사람이 우승자가 됩니다.

TIP 토너먼트는 경기를 거듭할 때마다 패자는 탈락하고, 최후에 남는 두 사람 또는 두 팀으로 우승을 결정하는 방식입니다.

2 20명의 사람들이 팔씨름 대회에 참가하였습니다. 이 대회에서는 5명이 남을 때까지 토너먼트 방식으로 경기를 하고, 5명이 남으면 리그 방식으로 경기를 하여 우승자를 가립니다. 이 팔씨름 대회에서 열리는 경기는 모두 몇 번인지 구하시오.

TIP 리그는 경기에 참가한 모든 팀이 돌아가면서 한 차례씩 경기를 하여 순위를 가리는 방식입니다.

뇌가 번쩍

- 리그 경기에서 경기 수는 악수하기와 같은 방법으로 구합니다.
  팀 수: □ ➡ 경기 수: □×(□−1)÷2(번)
- 토너먼트 경기에서는 2가지 규칙을 찾을 수 있습니다.
  규칙1 한 경기에서는 한 팀이 탈락합니다.
  규칙2 우승팀이 나오기 위해서는 우승팀 이외의 다른 팀은 모두 탈락해야 합니다.
  팀 수: □ ➡ 경기 수: □−1(번)

최상위 사고력

월드컵 축구 대회는 4년마다 다음과 같은 방법으로 이루어집니다. 물음에 답하시오.

- 32개 나라가 8개조로 나누어 조별로 예선을 합니다.
- 예선에서는 각 조에 속한 모든 팀이 서로 한 번씩 경기를 하여 1, 2위가 본선에 진출합니다.
- 본선에서는 이긴 팀만 다음 경기를 하는 방법으로 우승 팀을 가립니다.
- 준결승전에서 진 두 팀은 3, 4위전을 합니다.

(1) 월드컵 축구 대회에서 열리는 경기는 모두 몇 번인지 구하시오.

(2) 2002년 월드컵 축구 대회에서 우리나라는 4위를 하였습니다. 우리나라가 한 경기는 모두 몇 번인지 구하시오.

11-3. 승패

1 민수, 형택, 승우, 동진, 경희가 다음과 같이 토너먼트 방식으로 팔씨름을 하였습니다. 빈 칸에 알맞은 이름을 써넣으시오.

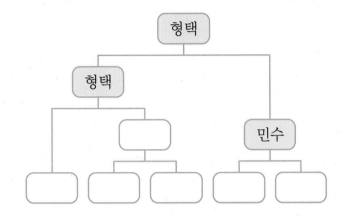

- 민수와 형택이는 2번씩 경기를 하였습니다.
- 승우는 동진이를 이겼습니다.
- 승우는 민수와 경기를 하지 않았습니다.

2 4팀이 리그 방식으로 피구 경기를 하여 나온 결과입니다. 빈칸에 알맞은 수를 써넣으시오.

	승	패
A	1	
B	2	1
C		2
D		

무승부 없이 승패를 정하는 경기에서 알 수 있는 규칙은?

• 모든 팀의 이긴 경기와 진 경기 수는 다음과 같은 관계가 있습니다.

① 전체 경기 수 = 이긴 경기 수의 합 = 진 경기 수의 합

② 각 팀의 이긴 경기 수＋진 경기 수 = 전체 경기 수 ×2

**최상위
사고력**

A, B, C, D 4개의 야구 팀이 리그 방식으로 시합을 하여 나온 결과입니다. 물음에 답하시오.

A팀: 2승 1패, B팀: 1승 1무 1패, C팀: 1승 2무

(1) D팀은 몇 승 몇 무 몇 패입니까?

(2) D팀은 어느 팀을 이겼고, 어느 팀과 비겼고, 어느 팀에게 졌습니까?

이긴 팀: _____   비긴 팀: _____   진 팀: _____

1 명수네 모둠 학생이 서로 한 번씩 크리스마스 카드를 교환하기로 하였습니다. 명수네 모둠 학생이 모두 36번 카드를 교환했을 때 명수네 모둠 학생은 모두 몇 명인지 구하시오.

2 농구대회에 5명씩 이루어진 6팀이 참가하였습니다. 먼저 각 팀의 대표 선수가 나와 다른 팀의 대표 선수들과 서로 한 번씩 악수를 하며 제비 뽑기를 하여 대진표를 정합니다. 그 사이 남은 선수들도 다른 선수들과 서로 한 번씩 악수를 합니다. 이때 같은 팀 선수끼리는 악수를 하지 않는다고 할 때 6팀의 선수들이 한 악수는 모두 몇 번인지 구하시오.

3 5명의 학생들이 가위바위보를 하여 얻은 점수입니다. 이긴 사람은 2점, 비긴 사람은 1점을 얻고 진 사람은 점수를 얻지 못한다고 할 때 동혁이가 얻은 점수는 몇 점인지 구하시오.

이름	민수	형주	기영	승민	동혁
점수(점)	4	3	6	3	

4 ㉠, ㉡, ㉢, ㉣, ㉤, ㉥, ㉦, ㉧ 8팀이 토너먼트 방식으로 축구를 하였습니다. 다음 결과를 보고 물음에 답하시오.

문제풀이

- ㉠팀이 우승하고, ㉡팀이 준우승을 하였습니다.
- ㉢팀은 첫 번째 시합에서 ㉣팀을 이겼지만 두 번째 시합에서는 ㉡팀에게 졌습니다.
- ㉧팀은 적어도 한 팀은 이겼습니다.

(1) 8팀은 모두 몇 번의 시합을 하였습니까?

(2) ㉡팀은 몇 팀을 이겼습니까?

(3) 첫 번째 시합에서 진 팀은 어느 팀입니까?

(4) ㉠팀은 두 번째 시합에서 어느 팀에게 이겼습니까?

12-1. 한붓그리기

1 붓을 한 번도 종이 위에서 떼지 않고 같은 곳을 두 번 지나지 않으면서 도형을 그리는 것을 한붓그리기라고 합니다. 다음 중에서 한붓그리기가 가능한 도형을 모두 찾아 기호를 쓰시오.

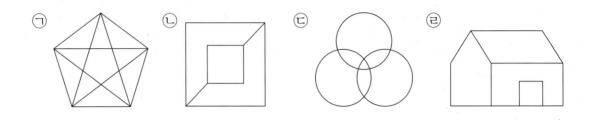

2 다음 도형은 한붓그리기가 불가능한 도형입니다. 최소한의 선을 그어 한붓그리기가 가능한 도형을 만드시오.

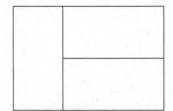

뇌가 번쩍

• 한 꼭짓점에 연결된 선의 수가 짝수 개이면 짝수점, 홀수 개이면 홀수점이라고 합니다.

홀수점이 0개   홀수점이 2개   • 짝수점
                                            • 홀수점

• 홀수점이 0개이면 출발점과 도착점이 같고, 홀수점이 2개이면 한 홀수점에서 출발하여 다른 홀수점에서 끝납니다.

———— 홀수점이 0개 또는 2개인 도형만 한붓그리기가 가능합니다.

최상위 사고력

다음 도형은 한붓그리기가 불가능한 도형입니다. 최소한의 선을 지워 한붓그리기가 가능한 도형을 만드시오.

(1)

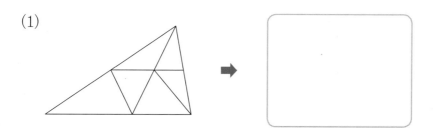

(2)

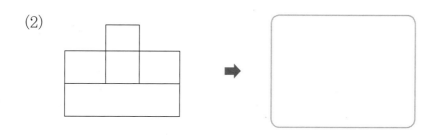

12-2. 다리 건너기

1 어떤 건물을 위에서 본 모양입니다. 유미가 모든 문을 한 번씩만 통과하여 문에 장식을 달려고 할 때 출발해야 하는 방을 찾아 ○표 하고, 지나가는 길을 그리시오.

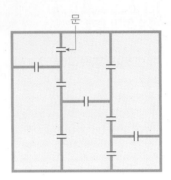

2 2개의 육지와 2개의 작은 섬을 연결하는 다리가 7개 있습니다. 다리를 한 번씩만 건너 7개의 다리를 모두 건널 수 있는지 알아보시오.

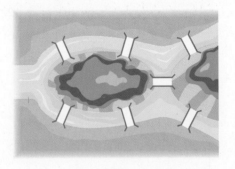

다리 건너기 문제를 해결하는 방법은?

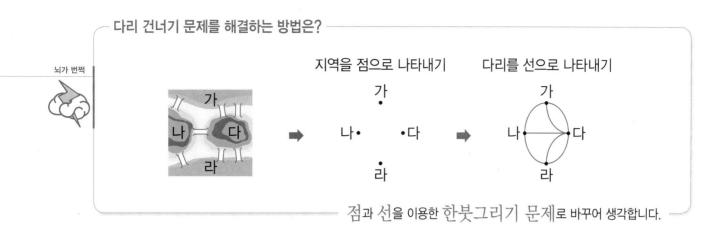

지역을 점으로 나타내기   다리를 선으로 나타내기

점과 선을 이용한 한붓그리기 문제로 바꾸어 생각합니다.

최상위 사고력

어떤 박물관을 위에서 본 그림입니다. 입구로 들어가서 모든 문을 한 번씩만 통과하여 출구로 나오는 건물을 만들려고 할 때 없애야 하는 문 1개를 찾아 ✕표 하고, 지나가는 길을 그리시오.

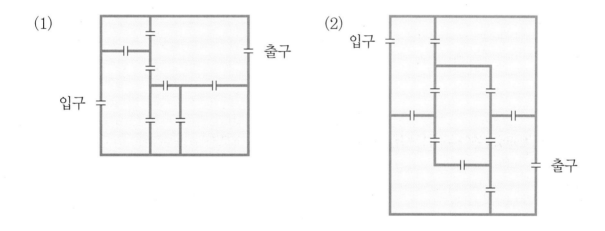

12-3. 최적 경로

1 점과 점 사이의 길이가 모두 1 m인 길입니다. 어느 한 점에서 출발하여 모든 길을 지나가려면 최소 몇 m를 가야 하는지 구하시오.

(1)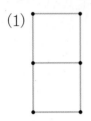

(2)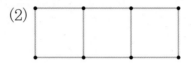

2 집배원이 우체국에서 출발하여 모든 길을 지나 우체국으로 되돌아오려고 합니다. 가장 짧은 거리는 몇 km인지 구하시오.

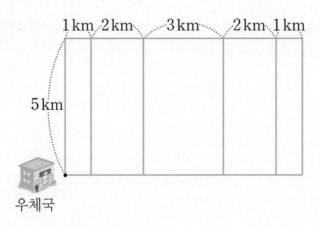

같은 길을 중복하여 지나가야 하는 경우 더 짧은 길은 어떻게 찾아야 할까?

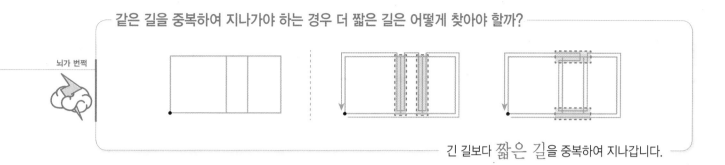

긴 길보다 짧은 길을 중복하여 지나갑니다.

최상위 사고력

청소차가 출발점에서 출발하여 모든 길을 지나 출발점으로 되돌아오려고 합니다. 가장 짧은 거리는 몇 km인지 구하시오.

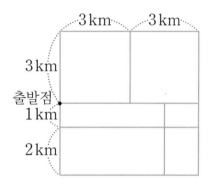

TIP 홀수점과 홀수점 사이의 길을 몇 번 지나가야 하는지 생각해 봅니다.

1 어떤 공원의 길을 나타낸 지도입니다. 사람들이 모든 길을 중복되지 않도록 걷게 하려면 입구
와 출구를 각각 어디에 설치해야 하는지 기호를 쓰시오.

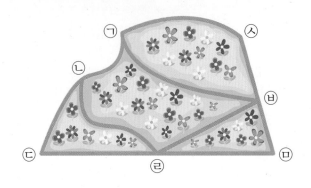

2 다음 도형의 선분을 중복되지 않도록 그리려고 합니다. 적어도 몇 번 만에 그릴 수 있는지 최
소 획수를 구하시오.

(1)
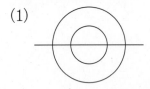

(2)
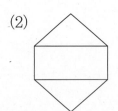

(3)
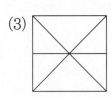

3 어떤 방을 위에서 본 그림입니다. 진호는 방에서 출발하여 모든 문을 한 번씩만 통과하여 다른 방에 도착했습니다. 출발한 방과 도착한 방을 찾아 ○표 하고, 지나가는 길을 그리시오.

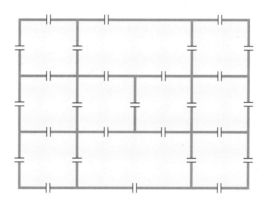

4 철사로 각 모서리의 길이가 1 cm인 상자 모양을 만든 것입니다. 개미가 점 ㉠에서 출발하여 모든 모서리를 따라서 점 ㉠으로 되돌아오려고 합니다. 개미가 이동한 가장 짧은 거리는 몇 cm인지 구하시오.

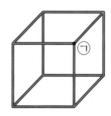

13-1. 길의 가짓수

1 점 ㉠에서 점 ㉡까지 최단거리로 가는 방법을 모두 그리시오.

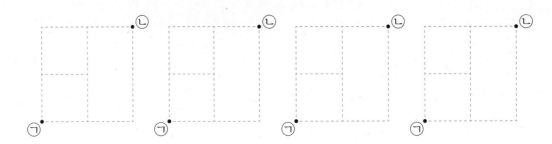

땀이 뻘뻘

2 점 ㉠에서 점 ㉡과 점 ㉢까지 최단거리로 가는 방법은 각각 몇 가지인지 차례로 구하시오.

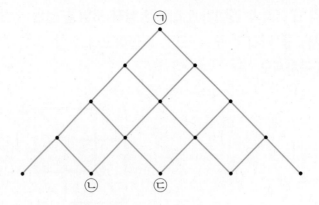

최단거리의 가짓수를 구하는 방법은?

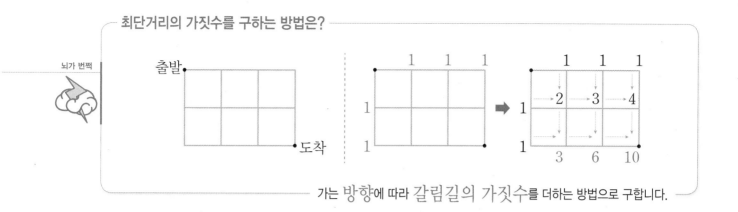

가는 **방향**에 따라 갈림길의 **가짓수**를 더하는 방법으로 구합니다.

최상위 사고력

점 ㉠에서 점 ㉡까지 최단거리로 가는 방법은 모두 몇 가지인지 구하시오.

(1)

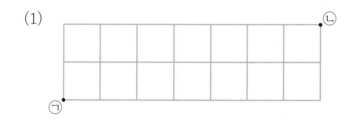

(2)

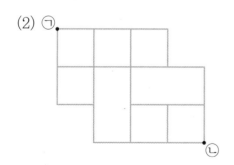

13-2. 조건이 있는 최단거리의 가짓수

1 민수가 집에서 출발하여 서점을 들렀다가 학교까지 가려고 합니다. 집에서 학교까지 최단 거리로 가는 방법은 모두 몇 가지인지 구하시오.

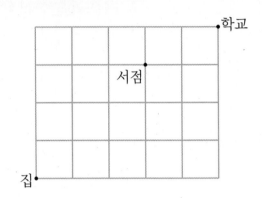

2 ➊ 표시가 있는 곳은 공사중이라 지나갈 수 없습니다. 집에서 공원까지 최단거리로 가는 방법은 모두 몇 가지인지 구하시오.

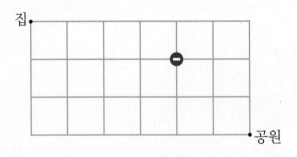

(집에서 빵집을 들렀다 과일가게까지 가는 최단거리의 가짓수)
=(집에서 빵집까지 가는 최단거리의 가짓수)×(빵집에서 과일가게까지 가는 최단거리의 가짓수)
=2×3=6(가지)

**최상위
사고력**

점 ㉠에서 점 ㉡까지의 최단거리로 가는 방법은 모두 몇 가지인지 구하시오.

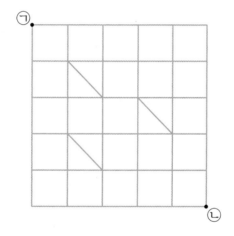

정답과 풀이 82쪽 ▶

13-3. 입체도형에서의 최단거리의 가짓수

1 철사로 모서리의 길이가 모두 같은 상자 모양 2개를 이어서 만든 것입니다. 개미가 점 ㉠ 에서 모서리를 따라 점 ㉡까지 최단거리로 가는 방법은 모두 몇 가지인지 구하시오.

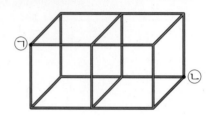

2 모든 모서리의 길이가 1 cm인 기둥모양의 상자가 있습니다. 상자의 점 ㉠에서 모서리를 따라 점 ㉡까지 최단거리로 가는 방법은 모두 몇 가지인지 구하시오.

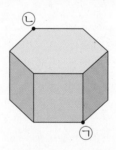

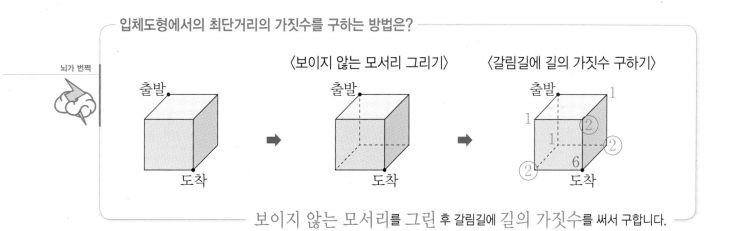

입체도형에서의 최단거리의 가짓수를 구하는 방법은?

〈보이지 않는 모서리 그리기〉 〈갈림길에 길의 가짓수 구하기〉

보이지 않는 모서리를 그린 후 갈림길에 길의 가짓수를 써서 구합니다.

최상위
사고력

점 ㉠에서 모서리를 따라 점 ㉡까지 최단거리로 가는 방법은 모두 몇 가지인지 구하시오.

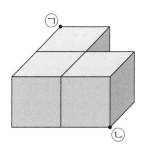

1 크기가 같은 원 4개를 서로 맞닿게 이어 붙인 도형이 있습니다. 점 ㉠에서 원의 둘레를 따라 점 ㉡까지 최단거리로 가는 방법은 모두 몇 가지인지 구하시오.

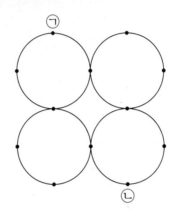

2 화살표가 있는 부분은 일방통행로이므로 표시된 방향으로만 갈 수 있습니다. 점 ㉠에서 점 ㉡ 까지 최단거리로 가는 방법은 모두 몇 가지인지 구하시오.

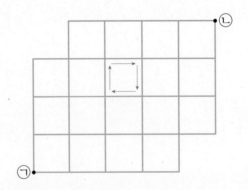

3

집에서 학교까지 가는 길에 호수가 있습니다. 집에서 학교까지 최단거리로 가는 방법은 모두 몇 가지인지 구하시오.

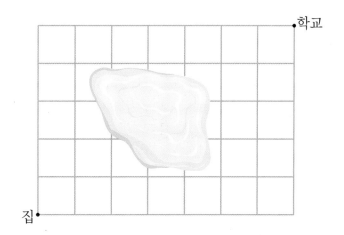

| 경시대회 기출 |

4

2개의 상자 모양으로 이루어진 입체도형이 있습니다. 꼭짓점 ㉠에서 모서리를 따라 꼭짓점 ㉡까지 최단거리로 가는 방법은 모두 몇 가지인지 구하시오.

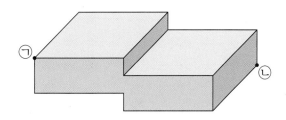

1 어떤 농구대회에서 7팀이 리그 방식으로 시합을 합니다. 매일 3번의 시합을 한다고 할 때 시합이 모두 끝나려면 며칠이 걸리는지 구하시오.

2 집에서 학교까지 최단거리로 가는 방법은 모두 몇 가지인지 구하시오.

문제풀이

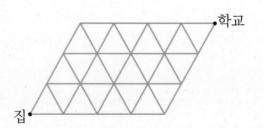

3 다음 도형을 보고 물음에 답하시오.

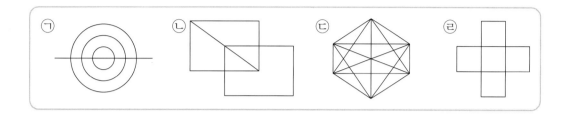

(1) 한붓그리기가 가능하지 않은 도형을 찾아 기호를 쓰시오.

(2) 한붓그리기가 가능한 도형 중에서 출발점과 도착점이 같은 도형을 찾아 기호를 쓰시오.

4 A, B, C, D 4개의 농구팀이 리그 방식으로 경기를 하였습니다. 다음 경기 결과를 보고 그림과 표를 완성하시오. (단, 오른쪽 그림에서 화살표는 이긴팀을 향합니다.)

문제풀이

• A팀이 D팀을 이겼습니다.
• C팀이 우승을 하였습니다.
• A, B, D팀의 이긴 횟수가 같고, 무승부가 없습니다.

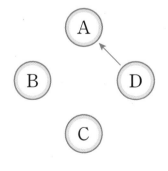

	승	패
A		
B		
C		
D		

5 다음은 어떤 건물을 위에서 본 그림입니다. 손님이 모든 문을 한 번씩만 통과할 수 있는 것은 지나가는 길을 그리고, 지날 수 없는 것은 ✕표 하시오.

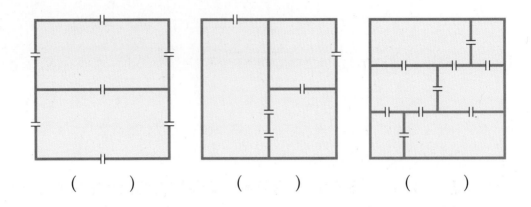

(   )   (   )   (   )

6 점 ㉠에서 점 ㉡까지의 최단거리로 가는 방법은 모두 몇 가지인지 구하시오.

문제풀이

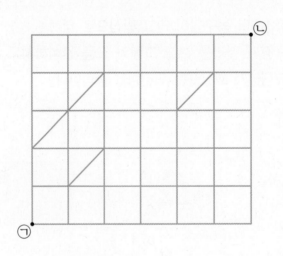

규칙

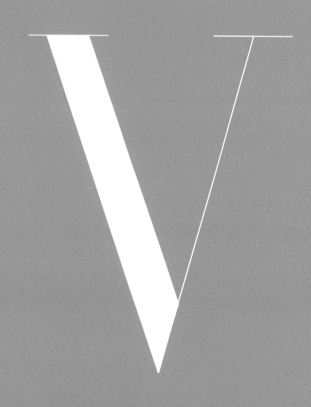

14-1. 구슬 가져가기

땀이 뻘뻘

1 ①부터 ⑩까지의 번호가 적힌 구슬을 두 사람이 번갈아 가며 가져가는 게임을 하려고 합니다. 게임을 이기기 위해서 반드시 가져가야 하는 구슬의 번호를 모두 쓰시오.

(1)
┤규칙├
- 번갈아 가며 구슬을 1개씩 가져갑니다.
- 마지막 구슬을 가져가는 사람이 이깁니다.

(2)
┤규칙├
- 번갈아 가며 한 번에 구슬을 1개 또는 2개씩 가져갑니다.
- 마지막 구슬을 가져가는 사람이 이깁니다.

(3)
┤규칙├
- 번갈아 가며 한 번에 구슬을 1개 또는 2개씩 가져갑니다.
- 마지막 구슬을 가져가는 사람이 집니다.

님게임에서 반드시 이길 수 있는 전략은?

- 번갈아 가며 한 번에 구슬을 1개 또는 2개씩 가져갑니다.
- 마지막 구슬을 가져가는 사람이 이깁니다.

마지막에 가져가야
하는 구슬
① ② ③ ④ ⑤ ⑥ ⑦
➡
그 전에 가져가야
하는 구슬
① ② ③ ④ ⑤ ⑥ ⑦
➡
그 전에 가져가야
하는 구슬
① ② ③ ④ ⑤ ⑥ ⑦

마지막에 가져가야 할 구슬부터 거꾸로 생각합니다.

최상위 사고력

두 사람이 번갈아 가며 한 번에 3일까지 날짜를 지울 수 있는 게임을 하려고 합니다. 마지막 날짜를 지우는 사람이 이긴다고 할 때 이기기 위해서 반드시 지워야 하는 날짜에 모두 ○표 하시오.

(1) 2월

일	월	화	수	목	금	토
					1	2
3	4	5	6	7	8	9
10	11	12	13	14	15	16
17	18	19	20	21	22	23
24	25	26	27	28		

(2) 3월

일	월	화	수	목	금	토
					1	2
3	4	5	6	7	8	9
10	11	12	13	14	15	16
17	18	19	20	21	22	23
24	25	26	27	28	29	30
31						

정답과 풀이 89쪽 ▶

14-2. 말 옮기기

1 두 사람이 번갈아 가며 바둑돌을 한 칸씩 옮기는데 더 이상 움직일 수 없는 사람이 집니다. 바둑돌을 먼저 옮기는 것이 유리한지, 나중에 옮기는 것이 유리한지 알아보시오.
(단, 검은색 바둑돌은 오른쪽으로, 흰색 바둑돌은 왼쪽으로만 움직일 수 있고, 한 칸에는 바둑돌을 한 개만 놓을 수 있습니다.)

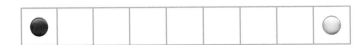

2 민주와 소희가 선분 잇기 게임을 합니다. 두 사람이 번갈아 가며 위쪽이나 오른쪽으로 원하는 길이만큼 한 번에 선분 1개만 그어 선분을 이을 수 있고, 끝점에 먼저 도착한 사람이 이깁니다. 이 게임에서 반드시 이길 수 있는 방법을 설명하시오.

선분 잇기 게임에서 반드시 이길 수 있는 전략은?

뇌가 번쩍

×   ⊙도착

시작 ⊙   ×

➡ 먼저 선분을 이어야 합니다.

×   ×   ⊙도착

×   ⊙   ×

시작 ⊙   ×   ×

➡ 나중에 선분을 이어야 합니다.

선분을 이으면 안 되는 점과 이어야 하는 점을 표시합니다.

최상위
사고력

다음과 같은 방법으로 축구 게임을 할 때 이기기 위한 방법을 설명하시오.

- 번갈아 가며 공을 아래쪽 또는 왼쪽으로 한 칸씩 움직입니다.
- 축구공을 움직여서 색칠한 칸에 먼저 놓은 사람이 이깁니다.

정답과 풀이 91쪽 ▶

14-3. 대칭 게임

1 두 사람이 번갈아 가며 두 접시 중 한 접시에서만 구슬을 얼마든지 가져갈 수 있습니다. 마지막 구슬을 가져가는 사람이 이긴다고 할 때 반드시 이길 수 있는 방법을 설명하시오.
(단, 구슬을 적어도 한 번에 1개는 가져가야 합니다.)

땀이 뻘뻘

2 두 사람이 다음과 같은 방법으로 번갈아 가며 게임을 하고 있습니다. 흰 바둑돌이 반드시 이길 수 있는 방법을 설명하시오.

- 검은 바둑돌과 흰 바둑돌 중에서 한 가지 색깔의 바둑돌을 선택하여 검은 바둑돌은 오른쪽으로, 흰 바둑돌은 왼쪽으로 한 칸 또는 여러 칸 움직일 수 있습니다.
- 자기 차례에 바둑돌을 움직이지 못하면 집니다.
- 한 칸에는 바둑돌을 한 개만 놓을 수 있습니다.

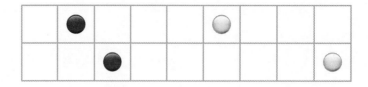

바둑돌 옮기기 게임에서 반드시 이길 수 있는 전략은?

내 차례에 만들어야 하는 상태

내 차례에 만들면 안 되는 상태

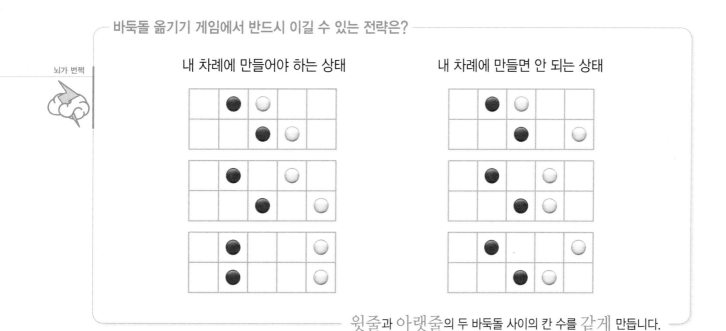

윗줄과 아랫줄의 두 바둑돌 사이의 칸 수를 같게 만듭니다.

최상위 사고력

가로 5칸, 세로 5칸인 판이 있습니다. 두 사람이 번갈아 가며 |보기|와 같이 칸을 직사각형 모양으로 한 칸 또는 여러 칸 색칠할 수 있을 때 마지막 칸을 색칠하는 사람이 이깁니다. 반드시 이기기 위해 처음에 색칠하는 방법을 모두 찾아 알맞게 색칠하시오.

(단, 한번에 모든 칸을 칠할 수 없습니다.)

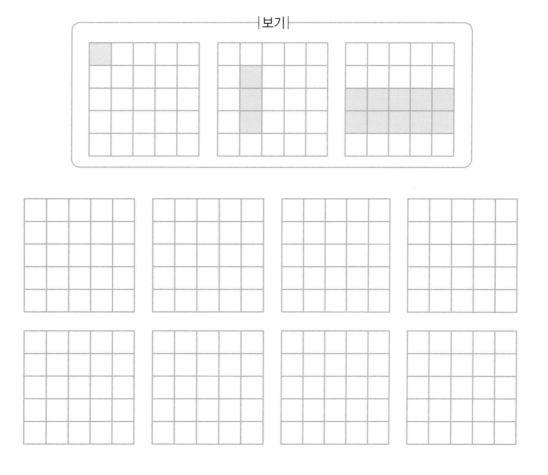

1 1부터 100까지의 자연수를 1부터 차례로 두 사람이 번갈아 가며 부릅니다. 1부터 시작하여 수를 1개에서 4개까지 부를 수 있고 100을 부른 사람이 진다고 할 때, 이 게임에서 반드시 이기는 방법을 설명하시오.

2 다음과 같은 |규칙|으로 바둑돌 옮기기 게임을 합니다. 물음에 답하시오.

문제풀이

|규칙|
• 번갈아 가며 바둑돌을 한 칸씩 움직여 점 위에 놓습니다.
• 한번 지나갔던 점이나 다른 바둑돌이 있는 점에는 놓을 수 없습니다.
• 바둑돌을 움직이지 못하는 사람이 집니다.

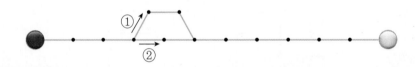

(1) 검은 바둑돌이 먼저 시작하는 경우 반드시 이길 수 있는 방법을 설명하시오.

(2) 검은 바둑돌이 나중에 시작하는 경우 반드시 이길 수 있는 방법을 설명하시오.

3 다음과 같은 규칙으로 선분 잇기 게임을 하려고 합니다. 게임에서 반드시 이길 수 있는 방법을 설명하시오.

(1)
┤규칙├
- 두 사람이 번갈아 가며 두 점을 선분으로 잇습니다.
- 선분은 원 안에서 서로 만날 수 있습니다.
- 마지막에 선분을 긋는 사람이 이깁니다.

(2)
┤규칙├
- 두 사람이 번갈아 가며 두 점을 선분으로 잇습니다.
- 선분은 원 안에서 서로 만날 수 없습니다.
- 더 이상 선분을 긋지 못하는 사람이 집니다.

정답과 풀이 94쪽 ▶

15-1. 성냥개비 퍼즐

1 성냥개비 1개를 옮겨서 올바른 식을 만드시오.

(1) 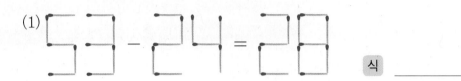 식 _____

(2) 식 _____

2 성냥개비 1개를 옮겨서 가로, 세로, 대각선에 있는 세 수의 합이 모두 같도록 만드시오.

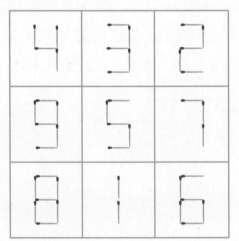

뇌가 번쩍

←→ 1개를 더하거나 빼기 ←→ 1개를 옮기기

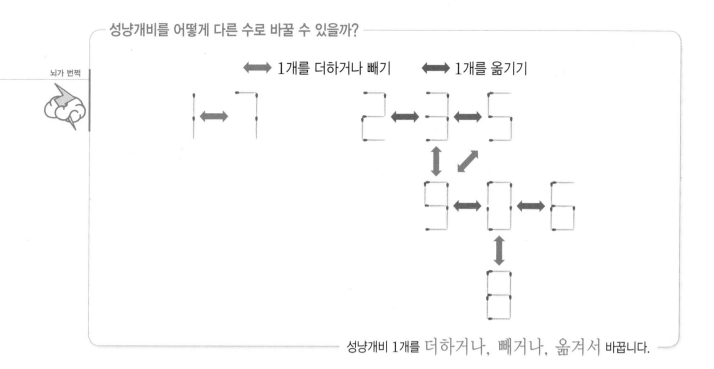

──── 성냥개비 1개를 더하거나, 빼거나, 옮겨서 바꿉니다. ────

최상위
사고력

주어진 모양에서 성냥개비 3개를 옮겨서 주어진 개수만큼 정사각형을 만들려고 합니다. 만든 모양을 그리시오.

(1) 정사각형 5개

(2) 정사각형 4개

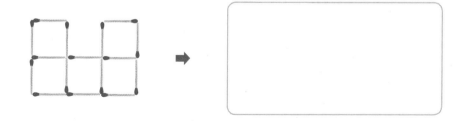

정답과 풀이 95쪽 ▶

15-2. 시행착오를 줄이는 단서

1 |보기|는 1부터 4까지의 수가 순서대로 놓이도록 오른쪽 끝 수부터 순서를 3번 바꾼 것입니다. |보기|와 같은 방법으로 1부터 6까지의 수가 순서대로 놓이도록 순서를 4번 바꾸려고 합니다. ☐ 안에 알맞은 수를 써넣으시오.

┤보기├

- 4213 ➡ 4312 ➡ 4321 ➡ 1234(○)
  └─── 213을 오른쪽 끝 수가 처음에 오도록 순서를 바꾸면 312입니다.
- 4213 ➡ 1243 ➡ 1234(×)
  └─── 오른쪽 끝 수부터 순서를 바꾼 것이 아닙니다.

653412 ➡ ☐ ➡ ☐ ➡ ☐ ➡ 123456

땀이 뻘뻘

2 1부터 4까지의 수가 적힌 수 카드가 2장씩 있습니다. ⟨1⟩ 과 ⟨1⟩ 사이에는 1장, ⟨2⟩ 와 ⟨2⟩ 사이에는 2장, ⟨3⟩ 과 ⟨3⟩ 사이에는 3장, ⟨4⟩ 와 ⟨4⟩ 사이에는 4장의 카드가 놓이도록 카드를 한 줄로 놓으시오.

시행착오를 줄일 수 있는 방법은?

예 구슬을 1과 1 사이에 1개, 2와 2 사이에 2개, 3과 3 사이에 3개를 놓기

1을 먼저 놓는 경우	2를 먼저 놓는 경우	3을 먼저 놓는 경우
4가지	3가지	2가지

➡ 먼저 3을 놓는 것이 시행착오를 가장 많이 줄일 수 있습니다.

배열할 수 있는 경우가 **적은 수부터** 놓습니다.

1, 2 또는 7, 8은 서로 이웃하는 자연수입니다. |보기|와 같이 선으로 연결된 곳에는 이웃하는 자연수가 오지 않도록 1부터 8까지의 수를 한 번씩 ◯ 안에 써넣으시오.

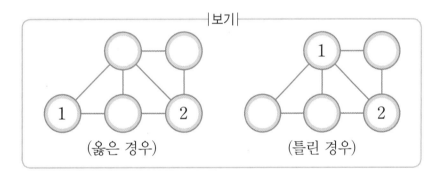

|보기|

(옳은 경우)   (틀린 경우)

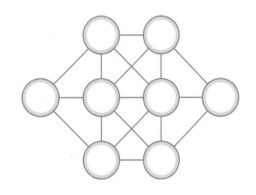

정답과 풀이 97쪽 ▶

15-3. 모양 바꾸기

1 동전 몇 개를 옮겨서 가로, 세로로 놓인 동전이 한 줄에 4개씩 되도록 만들려고 합니다. 옮기는 방법을 화살표로 나타내시오.

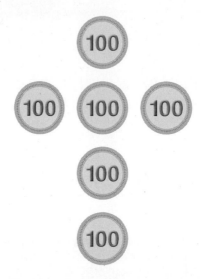

2 동전 2개를 옮겨서 정사각형 모양을 만들려고 합니다. 옮기는 방법을 화살표로 나타내시오.

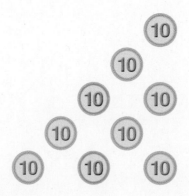

동전 1개를 옮겨서 정사각형 모양을 만드는 방법은?

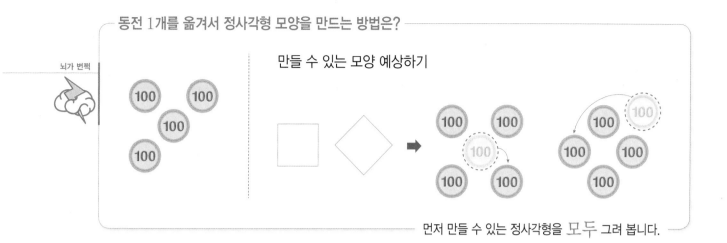

만들 수 있는 모양 예상하기

먼저 만들 수 있는 정사각형을 모두 그려 봅니다.

구슬을 될 수 있는 대로 적게 옮겨서 주어진 모양을 180°만큼 돌린 모양과 같도록 만들려면 구슬을 몇 개 옮겨야 하는지 구하시오.

(1)

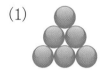

(2)

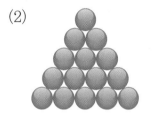

정답과 풀이 99쪽 ▶

1 성냥개비 3개를 옮겨서 마름모 3개를 만드시오.

2 연필을 떼지 않고 4개의 곧은 선을 그어서 9개의 점을 모두 연결하시오.

```
 ·    ·    ·


 ·    ·    ·


 ·    ·    ·
```

3 |보기|는 어떤 규칙에 따라 수를 배열한 것입니다. 물음에 답하시오.

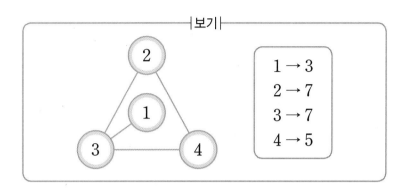

(1) |보기|와 같은 규칙으로 ☐ 안에 알맞은 수를 써넣으시오.

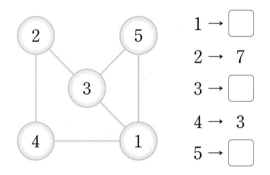

(2) |보기|와 같은 규칙으로 ◯ 안에 알맞은 수를 써넣으시오.

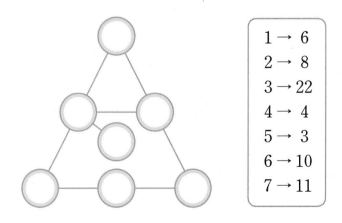

1 두 사람이 번갈아 가며 두 접시 중 한 접시에서만 구슬을 얼마든지 가져갈 수 있습니다. 마지막 구슬을 가져 가는 사람이 이긴다고 할 때 반드시 이길 수 있는 방법을 설명하시오.

(단, 구슬을 적어도 한 번에 1개는 가져가야 합니다.)

2 두 사람이 번갈아 가며 8장짜리 꽃잎을 떼어 내는 게임을 하려고 합니다. 다음과 같은 |규칙|으로 게임을 할 때, 게임에서 반드시 이길 수 있는 방법을 설명하시오.

|규칙|
- 번갈아 가며 한 번에 꽃잎을 1장 또는 2장씩 떼어 냅니다.
- 마지막 꽃잎을 떼어 내는 사람이 집니다.

3 선으로 연결된 곳에는 이웃하는 자연수가 오지 않도록 1부터 6까지의 수를 한 번씩 ◯ 안에 써넣으시오.

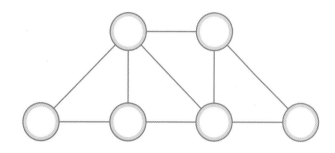

4 민지는 파란색, 수영이는 빨간색으로 번갈아 가며 다음과 같이 선분 잇기 게임을 하고 있습니다. 오른쪽이나 아래쪽으로 원하는 길이만큼 한 번에 선분 1개만 그어 선분을 이을 수 있고, 끝점에 먼저 도착하는 사람이 이깁니다. 지금이 수영이 차례일 때 수영이가 반드시 이길 수 있는 방법을 찾아 선분을 알맞게 이으시오.

문제풀이

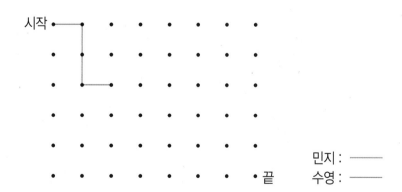

5 컵 1개를 움직여서 오른쪽과 같이 만드는 방법을 설명하시오.

6 바둑돌을 될 수 있는 대로 적게 옮겨서 다음 모양을 $180°$ 만큼 돌린 모양과 같도록 만들려면 바둑돌을 몇 개 옮겨야 하는지 구하시오.

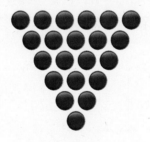

MEMO

 MEMO

 **MEMO**

최상위
연산
수학

1~6학년(학기용)

단순 계산이 아닌
수학 원리를
알아가는
수학 공부의 첫 걸음,
같아 보이지만
완전히 다른 연산!

초등수학은 디딤돌!

아이의 학습 능력과 학습 목표에 따라
맞춤 선택을 할 수 있도록
다양한 교재를 제공합니다.

문제해결력 강화 문제유형, 응용

개념 다지기 원리, 기본

연산력 강화

최상위 연산

개념 + 문제해결력 강화를 동시에

기본+유형, 기본+응용

정답과 풀이

초등 **4B**

상위권의 기준

최상위
사고력

초등 **4B**

수학 좀 한다면

I 연산

최상위 사고력 **1** 분수의 덧셈과 뺄셈 | 10~17쪽

1-1. 조건을 만족하는 수

1 $2\frac{6}{13}$　　　**2** $1\frac{4}{8},\ 2\frac{3}{8},\ \frac{7}{8}$

최상위 사고력 $7\frac{5}{6}$

1-2. 기호가 나타내는 수

1 615, 165　　　**2** ● = 4, ▲ = 5

최상위 사고력 A 19

최상위 사고력 B 3

1-3. 규칙과 분수

1 $16\frac{1}{6}$　　　**2** $162\frac{2}{4}$

최상위 사고력 $69\frac{4}{6}$

최상위 사고력

1 $17,\ 1\frac{2}{8}$　　　**2** 250냥

3 $38\frac{3}{4}$　　　**4** 6가지

최상위 사고력 **2** 소수의 덧셈과 뺄셈 | 18~25쪽

2-1. 조건을 만족하는 소수의 계산

1 ⑥.③ − ①.⑦② = ④.⑤⑧　　**2** 76.4

최상위 사고력 3.74

2-2. 점수 계산

1 (1) 김명진, 손승우, 박진경　(2) 7.08점

최상위 사고력 6.7점

2-3. 규칙과 소수

1 (1) 18　(2) 22　(3) 49.995　(4) 1.48

(5) 17.000000001

최상위 사고력 1.02

최상위 사고력

1 24.45　　　**2** 13.24

3 4개　　　**4** 0.11111110223456

Review I 연산 | 26~28쪽

1 (1) 90.9　(2) 19.4444444445　(3) 30

2 9, 7, 8, 1　　　**3** 46.1

4 3, 15　　　**5** 6.15

6 심사위원 5

II 도형

3-1. 도형 맞추기

1 ㉠ 또는 ㉑

최상위
사고력
A

예

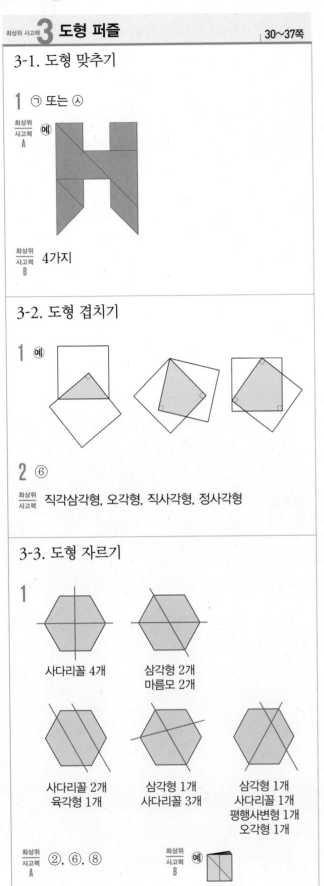

최상위
사고력
B

4가지

3-2. 도형 겹치기

1 **예**

2 ⑥

최상위
사고력
직각삼각형, 오각형, 직사각형, 정사각형

3-3. 도형 자르기

1

사다리꼴 4개　　삼각형 2개
　　　　　　　마름모 2개

사다리꼴 2개　　삼각형 1개　　삼각형 1개
육각형 1개　　사다리꼴 3개　　사다리꼴 1개
　　　　　　　　　　　　평행사변형 1개
　　　　　　　　　　　　오각형 1개

최상위
사고력
A
②, ⑥, ⑧

최상위
사고력
B
예

1

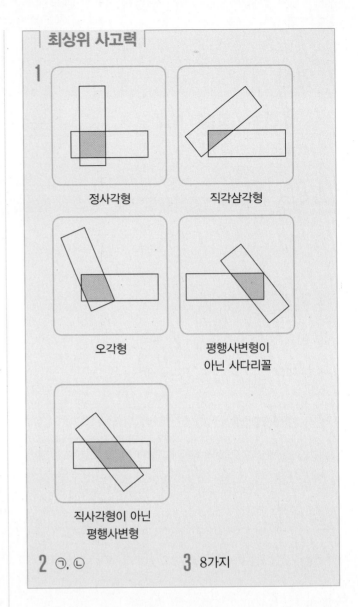

정사각형　　　　　　직각삼각형

오각형　　　　　　평행사변형이
　　　　　　　　　아닌 사다리꼴

직사각형이 아닌
평행사변형

2 ㉠, ㉡　　　　　　**3** 8가지

4-1. 분류하여 도형의 개수 세기

1 (앞에서부터) 3, 10, 12, 24

최상위
사고력
A
9개

최상위
사고력
B
(앞에서부터) 8, 14, 25

4-2. 규칙 찾아 도형의 개수 세기

1 91개　　　　　　**2** 90개

최상위
사고력
666개

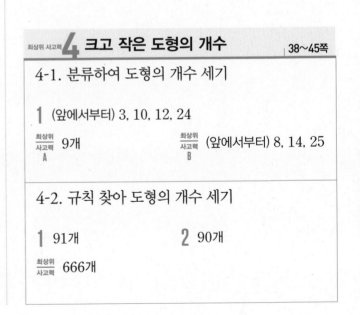

4-3. 조건이 있는 도형의 개수 세기

1 (1) 48개 (2) 54개

^{최상위}
사고력
A 108개

^{최상위}
사고력
B (앞에서부터) 12, 52

| 최상위 사고력 |

1 80개

2 16개

3 52개

4 28개

5-3. 원과 평면 위에 있는 삼각형의 개수

1 (1) 6개 (2) 10개 (3) 15개

2 35개

^{최상위}
사고력 76개

| 최상위 사고력 |

1 14개

2 31개

3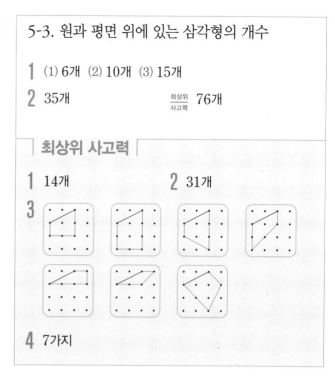

4 7가지

^{최상위 사고력}**5** **점을 이어 만든 도형의 개수** |46~53쪽

5-1. 수직과 평행

1 예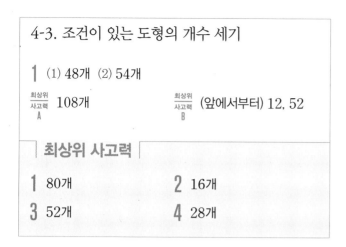

^{최상위}
사고력 7가지

5-2. 정삼각형과 이등변삼각형의 개수

1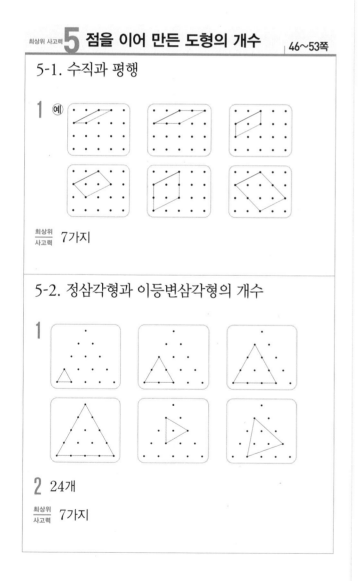

2 24개

^{최상위}
사고력 7가지

Review II 도형 |54~56쪽

1 6개

2 ⑤

3 27개

4 120개

5 예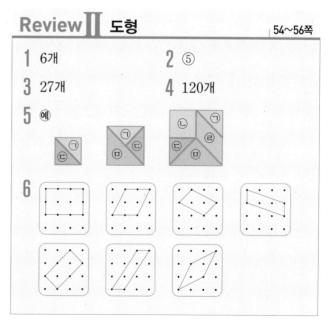

6

III 측정

6-1. 이등변삼각형

1 30°　　2 130°　　최상위 사고력 12°

6-2. 숨겨진 이등변삼각형

1 45°　　2 45°　　최상위 사고력 105°

6-3. 정삼각형

1 38 cm　　2 15°　　최상위 사고력 3 cm

최상위 사고력

1 45°　　2 72°
3 30°　　4 135°

7-1. 평행선과 크기가 같은 각

1 풀이 참조　　최상위 사고력 A 18개　　최상위 사고력 B 45°

7-2. 평행선 이용하기

1 80°, 60°　　2 180°　　최상위 사고력 360°

7-3. 보조선 긋기

1 105°　　2 108°　　최상위 사고력 80°

최상위 사고력

1 180°　　2 50°
3 180°　　4 48°

8-1. 평행사변형과 사다리꼴

1 풀이 참조　　2 12°　　최상위 사고력 110°

8-2. 마름모

1 36°, 72°　　2 25°　　최상위 사고력 108°

8-3. 정다각형

1 66°　　2 90°, 120°, 30°
최상위 사고력 72°

최상위 사고력

1 140°　　2 120°
3 56°　　4 160°

9-1. 겹쳐진 도형

1 25°, 20°, 45°　2 156°　　최상위 사고력 30°

9-2. 회전하는 도형

1 100°　　2 70°
최상위 사고력 (1) 40° (2) 20° (3) 60°

9-3. 접힌 도형

1 이등변삼각형　　2 65°　　최상위 사고력 60°

최상위 사고력

1 39 cm　　2 100°
3 7가지　　4 75°

최상위 사고력 **10** 테셀레이션 | 90~97쪽

10-1. 정다각형의 한 내각의 크기

1 150°   **2** 정이십각형   최상위 사고력 10개

10-2. 한 가지 도형으로 테셀레이션 하기

1 ⑤, ⑧

2 정팔각형의 한 각의 크기는 135°입니다. 135°의 합으로 360°를 만들 수 없으므로 정팔각형만으로 바닥을 빈틈없이 덮을 수 없습니다.

최상위 사고력 예
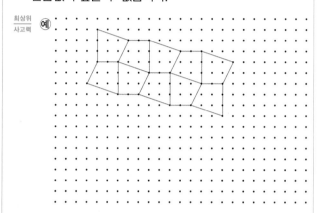

10-3. 여러 가지 도형으로 테셀레이션 하기

1 정팔각형   **2** ①, ②, ④

최상위 사고력 예
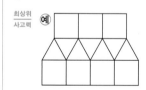 

| 최상위 사고력 |

1 60 cm   **2** 풀이 참조   **3** ②, ⑤

4 정사각형, 정육각형, 정십이각형

Ⅳ 확률과 통계

최상위 사고력 **11** 리그와 토너먼트 | 102~109쪽

11-1. 악수하기

1 (1) 10번 (2) 15번   **2** 144번

최상위 사고력 7번

11-2. 리그와 토너먼트

1 풀이 참조, 6번   **2** 25번

최상위 사고력 (1) 64번 (2) 7번

11-3. 승패

1

2

	승	패
A	1	2
B	2	1
C	1	2
D	2	1

최상위 사고력 (1) 1무 2패

(2) 이긴 팀: 없음, 비긴 팀: C, 진 팀: A, B

| 최상위 사고력 |

1 9명   **2** 255번   **3** 4

4 (1) 7번 (2) 2팀 (3) ㉣, ㉤, ㉥, ㉦ (4) ◎

Review **Ⅲ** 측정 | 98~100쪽

1 90°   **2** 99°   **3** 48°

4 150°   **5** 35°   **6** 45°, 144°

12-1. 한붓그리기

1 ㉠, ㉢

2 예

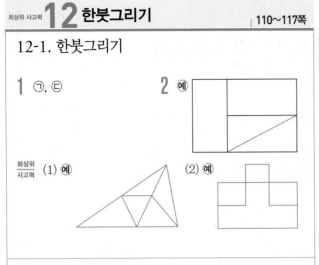

최상위 사고력 (1) 예 (2) 예

12-2. 다리 건너기

1

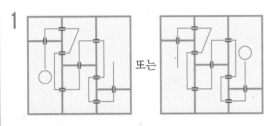

또는

2 7개의 다리를 모두 건널 수 없습니다.

최상위 사고력 (1)

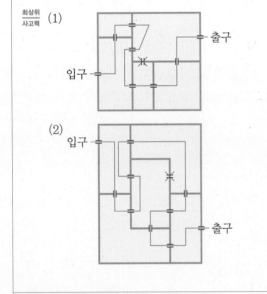

출구

입구

(2) 입구

출구

12-3. 최적 경로

1 (1) 7 m (2) 11 m   2 56 km

최상위 사고력 50 km

---

1 ㉠, ㉢ 또는 ㉢, ㉠   2 (1) 1 (2) 2 (3) 3

3

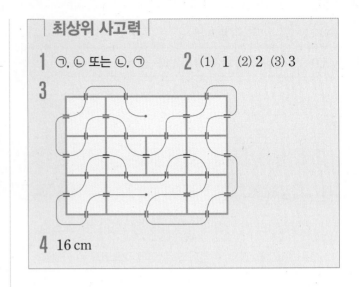

4 16 cm

13-1. 길의 가짓수

1

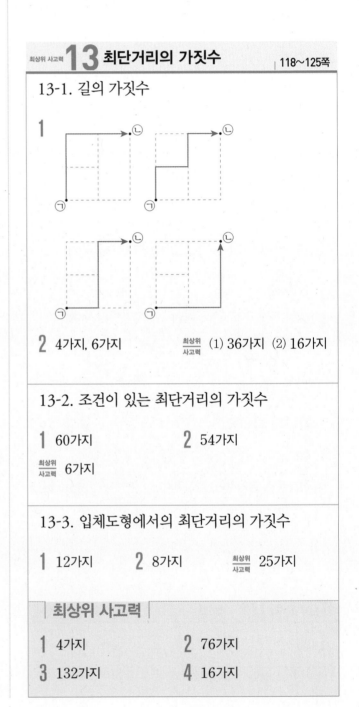

2 4가지, 6가지   최상위 사고력 (1) 36가지 (2) 16가지

13-2. 조건이 있는 최단거리의 가짓수

1 60가지   2 54가지

최상위 사고력 6가지

13-3. 입체도형에서의 최단거리의 가짓수

1 12가지   2 8가지   최상위 사고력 25가지

1 4가지   2 76가지

3 132가지   4 16가지

Review Ⅳ 확률과 통계

1 7일 **2** 35가지 **3** (1) ㉢ (2) ㉣

4

	승	패
A	1	2
B	1	2
C	3	0
D	1	2

5 예

예

예

6 19가지

Ⅴ 규칙

최상위 사고력 **14** 님게임

14-1. 구슬 가져가기

1 (1) ②, ④, ⑥, ⑧, ⑩ (2) ①, ④, ⑦, ⑩ (3) ③, ⑥, ⑨

최상위 사고력 **(1)**
2월

일	월	화	수	목	금	토
					1	2
3	④	5	6	7	⑧	9
10	11	⑫	13	14	15	⑯
17	18	19	⑳	21	22	23
㉔	25	26	27	㉘		

(2)
3월

일	월	화	수	목	금	토
					①	②
③	4	5	6	⑦	8	9
10	⑪	12	13	14	⑮	16
17	18	⑲	20	21	22	㉓
24	25	26	㉗	28	29	30
㉛						

14-2. 말 옮기기

1 먼저 옮기는 것이 유리합니다.

2 먼저 시작하여 오른쪽 2칸에 있는 점으로 선을 잇습니다.

최상위 사고력 먼저 시작하여 축구공을 왼쪽 또는 아래쪽으로 1칸 움직입니다.

14-3. 대칭 게임

1 먼저 시작하여 왼쪽 접시에서 구슬 2개를 가져갑니다. 다음 차례부터는 상대방이 가져가는 접시와 다른 쪽 접시에서 상대방이 가져가는 구슬의 개수만큼 구슬을 가져갑니다.

2 먼저 시작하여 아래 줄에 있는 흰 바둑돌을 왼쪽으로 2칸 움직입니다. 다음 차례부터는 검은 바둑돌이 움직이는 줄과 다른 줄에 있는 흰 바둑돌을 검은 바둑돌이 움직이는 칸 수만큼 움직입니다.

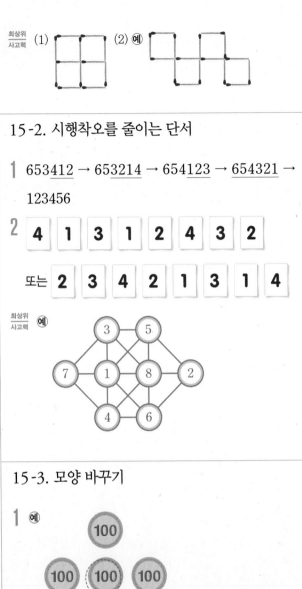

15-2. 시행착오를 줄이는 단서

1 653412 → 653214 → 654123 → 654321 → 123456

2 **4** **1** **3** **1** **2** **4** **3** **2**

또는 **2** **3** **4** **2** **1** **3** **1** **4**

예

15-3. 모양 바꾸기

1 예

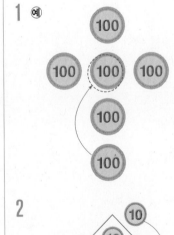

2

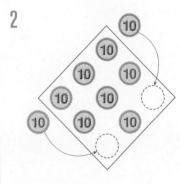

(1) 2개 (2) 5개

최상위 사고력

1 먼저 시작하여 1, 2, 3, 4 네 개의 수를 부릅니다. 다음 차례부터는 상대방이 부른 수의 개수와 내가 부른 수의 개수의 합이 5개가 되도록 번갈아 가며 수를 부릅니다.

2 (1) 점이 11개인 꺾인 길(①)쪽으로 검은 바둑돌을 움직입니다.

   (2) 점이 10개인 곧은 길(②)쪽으로 검은 바둑돌을 움직입니다.

3 (1) 나중에 선분을 긋습니다.

   (2) 먼저 양쪽에 점이 5개씩 되도록 두 점을 선분으로 잇습니다. 다음 차례부터는 상대방이 선분을 그으면 처음에 그은 선분을 중심으로 반대편에 똑같이 대칭이 되도록 선분을 긋습니다.

최상위 사고력 **15** 재치 게임

138~145쪽

15-1. 성냥개비 퍼즐

1 (1) 52-24=28 (2) 13×6=78

2

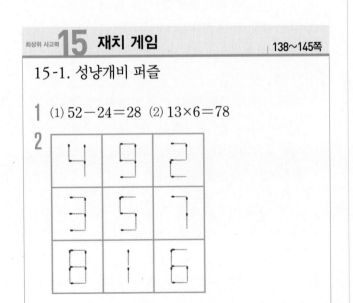

1 ㉠

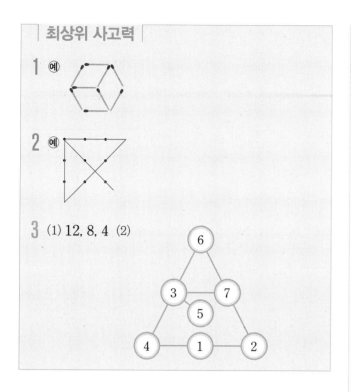

2 ㉠

3 (1) 12, 8, 4 (2)

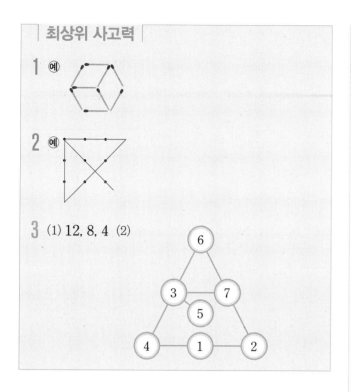

Review V 규칙

146~148쪽

1 나중에 시작하여 상대방이 가져가는 접시와 반대쪽 접시에서 상대방이 가져가는 구슬의 개수만큼 구슬을 가져갑니다.

2 먼저 시작하여 꽃잎 1장을 떼어 냅니다. 다음 차례부터는 상대방이 떼어 낸 꽃잎 수와의 합이 3이 되도록 번갈아가며 꽃잎을 떼어냅니다.

3

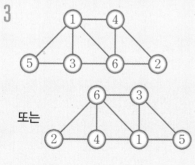

또는

4 시작

5 왼쪽에서 2번째 컵의 물을 5번째 컵으로 옮겨 붓습니다.

6 7번

1회

1~4쪽

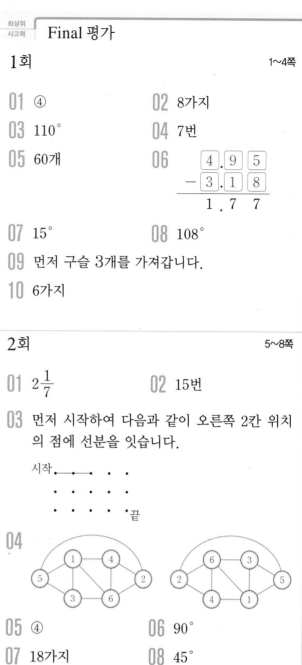

01 ④   02 8가지

03 110°   04 7번

05 60개   06
$$\begin{array}{r} 4.95 \\ -\ 3.18 \\ \hline 1.77 \end{array}$$

07 15°   08 108°

09 먼저 구슬 3개를 가져갑니다.

10 6가지

2회

5~8쪽

01 $2\frac{1}{7}$ 02 15번

03 먼저 시작하여 다음과 같이 오른쪽 2칸 위치의 점에 선분을 잇습니다.

시작 ●—●—● ● ●
끝

04

05 ④   06 90°

07 18가지   08 45°

09 8개   10 40°

Ⅰ 연산

이번 단원에서는 교과서에서 학습한 분수와 소수의 계산과 관련하여 창의사고력 주제로 다룰 만한 몇 가지 주제를 간단히 짚어 봅니다.

1 분수의 덧셈과 뺄셈에서는 먼저 ㉠+㉡$=3\frac{7}{8}$, ㉡+㉢$=3\frac{2}{8}$, ㉢+㉠$=2\frac{3}{8}$과 같이 기호로 나타낸 2개 이상

의 덧셈식 또는 뺄셈식에서 조건을 만족하는 수를 구하고, 이어서 ●$\frac{3}{6}$+▲$\frac{■}{6}$$=8\frac{2}{6}$와 같이 하나의 분수식에서

기호가 나타내는 수를 구합니다. 마지막으로 규칙적으로 나열한 분수 수열에서 몇 번째에 있는 분수를 찾거나 몇 번째까지의 분수를 규칙을 찾아 간단하게 계산합니다.

2 소수의 덧셈과 뺄셈에서는 숫자의 배열은 같고 소수점이 잘못 찍힌 상황을 통하여 원래의 소수를 찾아보고, 이어서 운동 경기에서 소수가 사용되는 점수 판정 규칙을 이용하여 알 수 없는 심사위원이 준 점수를 찾아봅니다. 마지막으로 여러 개의 소수의 계산을 효율적으로 간단히 계산하는 방법을 알아봅니다.

분수와 소수에서 다루는 주제들은 대부분 자연수에서 학습한 기호가 나타내는 수, 복면산, 수열 등과 같은 주제를 수의 범위만 바꾸어 나타낸 것입니다. 자연수 범위에서 문제를 풀기 위해 이용한 방법을 생각해 보며 분수 또는 소수가 사용된 식에서는 어떤 점에 주의해야 하는지 분수와 소수의 특징에 주목하여 문제를 해결하도록 합니다.

최상위 사고력 **1 분수의 덧셈과 뺄셈**

1-1. 조건을 만족하는 수		10~11쪽
1 $2\frac{6}{13}$	**2** $1\frac{4}{8}$, $2\frac{3}{8}$, $\frac{7}{8}$	최상위 사고력 $7\frac{5}{6}$

저자 톡! 합 또는 차가 주어진 계산식을 이용하여 조건을 만족하는 수를 구하는 내용입니다. 자연수의 계산에서는 조건을 만족하는 수를 어떤 수로 가정하고 표를 이용하여 문제를 해결할 수 있었습니다. 그러나 분수의 계산에서는 나올 수 있는 경우가 매우 많아 이 방법을 사용하기에는 무리가 있습니다. 따라서 두 식을 더하거나 빼어 새로운 식을 만들고 주어진 식의 관계에 중점을 두어 문제를 해결하도록 합니다.

1 • 분수 ㉠의 분모, 분자 중에서 큰 수를 가, 작은 수를 나라고 하면
가+나=20, 가−나=6입니다. 두 식을 더하면 가+가=26,
가=13이고, 가+나=20에서 13+나=20, 나=7입니다.

㉠은 진분수이므로 $\frac{7}{13}$입니다.

• 분수 ㉡의 분모, 분자 중에서 큰 수를 다, 작은 수를 라라고 하면
다+라=38, 다−라=12입니다. 두 식을 더하면 다+다=50,
다=25이고, 다+라=38에서 25+라=38, 라=13입니다.

㉡은 가분수이므로 $\frac{25}{13}$입니다.

따라서 ㉠+㉡$=\frac{7}{13}+\frac{25}{13}=\frac{32}{13}=2\frac{6}{13}$입니다.

해결 전략
주어진 조건을 기호를 이용하여 식으로 나타내어 봅니다.

보충 개념
(가+나)+(가−나)=20+6
　　└20┘　└6┘
가+가=26

2 주어진 세 식을 모두 더하면 $(㉠+㉡+㉢)×2=3\dfrac{7}{8}+3\dfrac{2}{8}+2\dfrac{3}{8}$,

$(㉠+㉡+㉢)×2=9\dfrac{4}{8}=\dfrac{76}{8}$, $㉠+㉡+㉢=\dfrac{38}{8}=4\dfrac{6}{8}$입니다.

이 식에서 주어진 3개의 식을 각각 **빼면**

$(㉠+㉡+㉢)-(㉠+㉡)=4\dfrac{6}{8}-3\dfrac{7}{8}=\dfrac{7}{8}$, $㉢=\dfrac{7}{8}$

$(㉠+㉡+㉢)-(㉡+㉢)=4\dfrac{6}{8}-3\dfrac{2}{8}=1\dfrac{4}{8}$, $㉠=1\dfrac{4}{8}$

$(㉠+㉡+㉢)-(㉢+㉠)=4\dfrac{6}{8}-2\dfrac{3}{8}=2\dfrac{3}{8}$, $㉡=2\dfrac{3}{8}$입니다.

보충 개념

$\underbrace{(㉠+㉡)}_{3\frac{7}{8}}+\underbrace{(㉡+㉢)}_{3\frac{2}{8}}+\underbrace{(㉢+㉠)}_{2\frac{3}{8}}$

$=(㉠+㉡+㉢)×2$

분수 부분끼리 뺄 수 없는 경우에는 빼지는 분수의 자연수에서 1만큼 가분수로 바꾸어 계산합니다.

$4\dfrac{6}{8}-3\dfrac{7}{8}=3\dfrac{14}{8}-3\dfrac{7}{8}=\dfrac{7}{8}$

$3\left(\dfrac{6}{8}+\dfrac{8}{8}\right)$

최상위 사고력 (첫 번째 식)+(세 번째 식)$=(㉠-㉡)+(㉡+㉢)=1\dfrac{4}{6}+4\dfrac{3}{6}$,

$㉠+㉢=5\dfrac{7}{6}=6\dfrac{1}{6}$입니다.

$㉠+㉢=6\dfrac{1}{6}$과 두 번째 식 $㉠-㉢=\dfrac{3}{6}$을 더하면

$(㉠+㉢)+(㉠-㉢)=6\dfrac{1}{6}+\dfrac{3}{6}$, $㉠+㉠=6\dfrac{4}{6}$, $㉠=3\dfrac{2}{6}$입니다.

세 번째 식에서 $㉡+㉢=4\dfrac{3}{6}$이므로 $㉠+㉡+㉢=3\dfrac{2}{6}+4\dfrac{3}{6}=7\dfrac{5}{6}$

입니다.

해결 전략

㉠, ㉡, ㉢의 합을 구하는 것이므로 ㉠, ㉡, ㉢을 각각 구하지 않아도 됩니다.

다른 풀이

첫 번째 식과 두 번째 식에서 ㉢은 ㉡보다 $1\dfrac{4}{6}-\dfrac{3}{6}=1\dfrac{1}{6}$만큼 큰 수이므로 $㉢-㉡=1\dfrac{1}{6}$
입니다.

세 번째 식 $㉡+㉢=4\dfrac{3}{6}$과 $㉢-㉡=1\dfrac{1}{6}$을 더하면 $㉢+㉢=5\dfrac{4}{6}=\dfrac{34}{6}$,

$㉢=\dfrac{17}{6}=2\dfrac{5}{6}$입니다.

따라서 두 번째 식 $㉠-㉢=\dfrac{3}{6}$에서 $㉠-2\dfrac{5}{6}=\dfrac{3}{6}$, $㉠=\dfrac{3}{6}+2\dfrac{5}{6}=3\dfrac{2}{6}$이고,

첫 번째 식 $㉠-㉡=1\dfrac{4}{6}$에서 $3\dfrac{2}{6}-㉡=1\dfrac{4}{6}$, $㉡=3\dfrac{2}{6}-1\dfrac{4}{6}=1\dfrac{4}{6}$입니다.

따라서 $㉠+㉡+㉢=3\dfrac{2}{6}+1\dfrac{4}{6}+2\dfrac{5}{6}=7\dfrac{5}{6}$입니다.

보충 개념

$㉠-㉡=1\dfrac{4}{6}=\dfrac{10}{6}$

$㉠-㉢=\dfrac{3}{6}$

㉠에서 ㉡을 뺀 결과가 ㉠에서 ㉢을 뺀 결과보다 큽니다.
따라서 ㉢이 ㉡보다

$\dfrac{10}{6}-\dfrac{3}{6}=\dfrac{7}{6}=1\dfrac{1}{6}$만큼 큰 수입니다.

1-2. 기호가 나타내는 수

12~13쪽

1 615, 165

최상위 사고력 A 19

2 ●=4, ▲=5

최상위 사고력 B 3

저자 톡! 계산식에서 숫자를 문자나 그림으로 가려 놓고 어떤 숫자가 들어가는지 알아맞히는 퍼즐을 '복면산'이라고 합니다. 복면산은 창의사고력 문제에 자주 등장하는 주제로, 숨겨진 수를 찾기 위해 추론력뿐만 아니라 연산의 관계와 수감각 또한 필요합니다. 이 단원에서는 분수식으로 확장하여 기호가 나타내는 자연수를 구하게 됩니다. 계산 과정 중에 일정하게 커지는 수의 합을 구할 때 가우스 합의 방법이 이용되므로 자연수의 연산 방법을 생각하며 기호가 나타내는 수를 구해 봅니다.

1

- 세 자리 수 ●▲■가 가장 크려면 ●＝7인 경우부터 생각합니다.

  ●＝7일 때 $7\frac{3}{6}+(대분수)=8\frac{2}{6}$를 만족하는 덧셈식은 없습니다.

  ●＝6일 때 $6\frac{3}{6}+1\frac{5}{6}=8\frac{2}{6}$을 만족하므로 ●＝6, ▲＝1, ■＝5

  입니다.

  따라서 가장 큰 세 자리 수 ●▲■는 615입니다.

- 세 자리 수 ●▲■가 가장 작으려면 ●＝1인 경우부터 생각합니다.

  ●＝1일 때 $1\frac{3}{6}+6\frac{5}{6}=8\frac{2}{6}$을 만족하므로 ●＝1, ▲＝6, ■＝5

  입니다.

  따라서 가장 작은 세 자리 수 ●▲■는 165입니다.

해결 전략
먼저 세 자리 수가 가장 큰 경우와 가장 작은 경우에 알맞은 수를 생각합니다.

2 분자는 분자끼리, 자연수는 자연수끼리 계산합니다.

$●\dfrac{1}{▲}+●\dfrac{2}{▲}+●\dfrac{3}{▲}+●\dfrac{4}{▲}=●×4+\dfrac{10}{▲}=18$이므로 $\dfrac{10}{▲}$은 자

연수가 되어야 합니다.

따라서 ▲＝1, 2, 5가 될 수 있습니다.

▲＝5일 때 $4×4+\dfrac{10}{5}=18$이므로 ●＝4, ▲＝5입니다.

보충 개념
대분수의 덧셈식이므로 ▲는 4보다 커야 합니다.

최상위 사고력 A 주어진 식을 간단히 나타내면

$$\dfrac{1+2+\cdots\cdots+(■-1)+■}{■}=10입니다.$$

가우스 합의 방법을 이용해 분자의 합을 구하면

$1+2+\cdots\cdots+(■-1)+■=(1+■)×■÷2$이므로

$\dfrac{(1+■)×■÷2}{■}=10$, $(1+■)×■÷2=10×■$,

$(1+■)×■=20×■$, $1+■=20$, $■=19$입니다.

보충 개념
가우스 합의 방법은
((첫 번째 수)＋(마지막 수))×(수의 개수)
÷2입니다.

최상위 사고력 B $\dfrac{2}{7}$부터 $\dfrac{2}{7}$의 분자에 ▲씩 더하는 규칙이므로 16번째 수는

$\dfrac{2+▲×15}{7}$입니다.

가우스 합의 방법을 이용하여 16번째 수까지의 합을 구하는 식을 세워

보면

$$\dfrac{2}{7}+\dfrac{2+▲}{7}+\dfrac{2+▲+▲}{7}+\dfrac{2+▲+▲+▲}{7}+\cdots\cdots+\dfrac{2+▲×15}{7}$$

$$=\dfrac{(2+(2+▲×15))×16÷2}{7}=56, \ \underline{2+▲×15=47},$$

▲×15=45, ▲＝3입니다.

해결 전략
먼저 수를 늘어놓은 규칙을 찾아봅니다.

보충 개념
$\dfrac{(2+(2+▲×15))×16÷2}{7}=56$
➡ $(2+(2+▲×15))×16÷2=392$,
$(2+(2+▲×15))×16=784$,
$(2+(2+▲×15))=49$
$(2+▲×15)=47$

1 $16\dfrac{1}{6}$　　　　**2** $162\dfrac{2}{4}$　　　최상위 사고력 $69\dfrac{4}{6}$

저자 륙! 일정하게 나열된 분수의 규칙을 찾아 몇 번째 분수를 구하거나 분수식을 계산하는 내용입니다. 자연수 범위에서는 각 수들간의 관계만 파악하면 해결할 수 있었지만 분수로 이루어진 식에서는 대분수의 경우 자연수 부분 뿐만 아니라 분수의 분자와 분모까지 모두 생각해야 합니다. 다양한 방법으로 분수의 규칙을 찾아 간단하게 해결해 봅니다.

1 ㉠ 주어진 분수를 가분수로 나타내면 다음과 같습니다.

$$\dfrac{2}{6},\ \dfrac{7}{6},\ \dfrac{12}{6},\ \dfrac{17}{6},\ \dfrac{22}{6},\ \dfrac{27}{6}\cdots\cdots$$

이 분수들의 분자는 5씩 커지는 규칙입니다.

따라서 10번째 분수는 $\dfrac{2+5\times9}{6}=\dfrac{47}{6}=7\dfrac{5}{6}$입니다.

㉡ 주어진 분수를 가분수로 나타내면 다음과 같습니다.

$$\dfrac{2}{6},\ \dfrac{3}{6},\ \dfrac{5}{6},\ \dfrac{8}{6},\ \dfrac{13}{6},\ \dfrac{21}{6},\ \dfrac{34}{6},\ \dfrac{55}{6},\ \dfrac{89}{6}\cdots\cdots$$

이 분수들의 분자는 앞의 두 수의 합이 다음 수가 되는 규칙입니다.

따라서 10번째 분수는 $\dfrac{55}{6}+\dfrac{89}{6}=\dfrac{144}{6}=24$입니다.

보충 개념
이와 같은 수열을 피보나치 수열이라고 합니다.

➡ ㉠과 ㉡의 10번째 분수의 차는 $24-7\dfrac{5}{6}=16\dfrac{1}{6}$입니다.

2 자연수 부분과 분수 부분으로 나누어 규칙을 찾아봅니다.

• 자연수 부분

$(1+1+2+3)+(4+4+5+6)+(7+7+8+9)$
$\qquad\qquad+(10+10+11+12)+(13+13+14+15)$
$=(1+2+3+4+\cdots\cdots+15)+(1+4+7+10+13)$
$=(1+15)\times15\div2+35=155$

해결 전략
• 진분수인 경우: 분자의 규칙을 찾습니다.
• 대분수인 경우: 자연수 부분과 분수 부분으로 나누어 규칙을 찾습니다.
• 대분수와 가분수가 섞여 있는 경우: 가분수 또는 대분수로 고쳐서 규칙을 찾습니다.

보충 개념
((첫 번째 수)+(마지막 수))
$\times$(수의 개수)$\div2$

• 분수 부분

$\left(\dfrac{3}{4}+\dfrac{2}{4}+\dfrac{1}{4}\right)+\left(\dfrac{3}{4}+\dfrac{2}{4}+\dfrac{1}{4}\right)+\left(\dfrac{3}{4}+\dfrac{2}{4}+\dfrac{1}{4}\right)$
$+\left(\dfrac{3}{4}+\dfrac{2}{4}+\dfrac{1}{4}\right)+\left(\dfrac{3}{4}+\dfrac{2}{4}+\dfrac{1}{4}\right)=\dfrac{30}{4}=7\dfrac{2}{4}$

따라서 첫 번째 수부터 20번째 수까지의 합은 $155+7\dfrac{2}{4}=162\dfrac{2}{4}$입니다.

다른 풀이
주어진 분수를 가분수로 나타내면 이 분수들의 분자가 3씩 커지는 규칙입니다.

$$\dfrac{4}{4},\ \dfrac{7}{4},\ \dfrac{10}{4},\ \dfrac{13}{4},\ \dfrac{16}{4}\cdots\cdots$$

20번째 수는 $\dfrac{(4+3\times19)}{4}=\dfrac{61}{4}$입니다.

첫 번째 수부터 20번째 수까지의 분자의 합은 $(4+61)\times20\div2=650$이므로

첫 번째 수부터 20번째 수까지의 합은 $\dfrac{650}{4}=162\dfrac{2}{4}$입니다.

빼는 수를 제외한 식은

$\dfrac{2}{6}+\dfrac{4}{6}+\dfrac{8}{6}+\dfrac{16}{6}+\cdots\cdots+\dfrac{256}{6}$ 이므로 분자에 2씩 곱하는 규칙입니다.

해결 전략
주어진 식은 덧셈과 뺄셈이 번갈아 나오므로 덧셈과 뺄셈으로 나누어 규칙을 찾아봅니다.

256은 2를 8번 곱한 수이므로 빼는 수도 8개입니다.

빼는 수를 차례로 나열하면

$\dfrac{1}{6},\ \dfrac{2}{6},\ \dfrac{4}{6},\ \dfrac{7}{6},\ \cdots\cdots,\ \dfrac{29}{6}$ 이므로 분자가 1, 2, 4, 7······로 분자에 더하는 수가 1씩 커지는 규칙입니다.

빼는 수의 합은

$\dfrac{1}{6}+\dfrac{2}{6}+\dfrac{4}{6}+\dfrac{7}{6}+\dfrac{11}{6}+\dfrac{16}{6}+\dfrac{22}{6}+\dfrac{29}{6}=15\dfrac{2}{6}$,

더하는 수의 합은

$\dfrac{2}{6}+\dfrac{4}{6}+\dfrac{8}{6}+\dfrac{16}{6}+\dfrac{32}{6}+\dfrac{64}{6}+\dfrac{128}{6}+\dfrac{256}{6}=85$ 이므로

$85-15\dfrac{2}{6}=69\dfrac{4}{6}$ 입니다.

최상위 사고력

16~17쪽

1 17. $1\dfrac{2}{8}$ 2 250냥

3 $38\dfrac{3}{4}$ 4 6가지

---

1 식의 계산 결과가 가장 크려면 분모는 작아야 하고 분자는 커야 합니다.

분모가 가장 작은 경우는 ●−▲=1인 경우로

(●, ▲)=(2, 1), (3, 2), (4, 3), (5, 4), (6, 5), (7, 6), (8, 7), (9, 8) 이고, 이 중에서 분자 ●+▲가 가장 큰 경우는

(●, ▲)=(9, 8)일 때 9+8=17입니다.

따라서 계산 결과가 가장 큰 경우는 17입니다.

분수의 계산 결과가 가장 작으려면 분모는 커야 하고 분자는 작아야 합니다.

해결 전략
$\dfrac{●}{●-▲}+\dfrac{▲}{●-▲}=\dfrac{●+▲}{●-▲}$ 이므로 계산 결과의 분모는 ●−▲, 분자는 ●+▲입니다.

분모가 가장 큰 경우는

●−▲=8일 때 (●, ▲)=(9, 1) ➡ $\dfrac{9+1}{9-1}=\dfrac{10}{8}$이므로

계산 결과가 가장 작은 경우는 $\dfrac{10}{8}=1\dfrac{2}{8}$입니다.

2 첫째에게 주고 남은 금화는 전체의 $1-\dfrac{3}{8}=\dfrac{5}{8}$입니다.

둘째가 받게 되는 금화는 남은 금화의 $\dfrac{1}{5}$이므로 전체의 $\dfrac{1}{8}$입니다.

첫째와 둘째가 받게 되는 금화는 전체의 $\dfrac{3}{8}+\dfrac{1}{8}=\dfrac{4}{8}$이므로

셋째는 $\dfrac{4}{8}$의 절반인 $\dfrac{2}{8}$만큼 받게 됩니다.

막내는 전체 금화의 $1-\dfrac{3}{8}-\dfrac{1}{8}-\dfrac{2}{8}=\dfrac{2}{8}$만큼 받게 됩니다.

해결 전략
먼저 첫째, 둘째, 셋째, 막내가 받게 될 금화는 전체의 몇 분의 몇인지 각각 구합니다.

첫째	둘째	셋째	막내
전체의 $\dfrac{3}{8}$	남은 금화의 $\dfrac{1}{5}$	(첫째)＋(둘째)의 절반	남은 것

네 명의 아들이 받게 되는 금화는 첫째는 $\dfrac{3}{8}$, 둘째는 $\dfrac{1}{8}$, 셋째는 $\dfrac{2}{8}$,

막내는 $\dfrac{2}{8}$이므로 첫째가 금화를 가장 많이 받게 되고, 둘째가 금화를 가장 적게 받게 됩니다.

따라서 첫째와 둘째가 받게 되는 금화의 차는 전체의 $\dfrac{3}{8}-\dfrac{1}{8}=\dfrac{2}{8}$이고,

1000의 $\dfrac{1}{8}$은 125이므로 $125\times 2=250$(냥)입니다.

다른 풀이

첫째에게는 금화 1000냥의 $\dfrac{3}{8}$을 주게 되고 1000의 $\dfrac{1}{8}$은 125이므로 첫째가 받게 되는 금화는 $125\times 3=375$(냥)입니다.

둘째에게는 남은 금화 $1000-375=625$(냥)의 $\dfrac{1}{5}$을 주게 되므로 둘째가 받게 되는 금화는 625의 $\dfrac{1}{5}$인 125(냥)입니다.

셋째에게는 첫째와 둘째에게 준 금화의 합의 절반을 주었으므로 셋째가 받게 되는 금화는 $375+125=500$, $500\div 2=250$(냥)입니다.

막내에게는 남은 금화를 모두 주었으므로 막내가 받게 되는 금화는 $100-375-125-250=250$(냥)입니다.

따라서 금화를 가장 많이 받게 되는 아들과 가장 적게 받게 되는 아들의 금화의 금액의 차는 $375-125=250$(냥)입니다.

3 주어진 분수를 가분수로 나타내면 다음과 같습니다.

$$\frac{1}{4}, \frac{3}{4}, 1\frac{2}{4}, 2\frac{2}{4}, 3\frac{3}{4} \cdots\cdots \Rightarrow \frac{1}{4}, \frac{3}{4}, \frac{6}{4}, \frac{10}{4}, \frac{15}{4} \cdots\cdots$$

해결 전략
주어진 분수를 가분수로 나타내어 규칙을 찾아봅니다.

이 분수들의 분자의 규칙은

$$\overset{+2\ \ +3\ \ +4\ \ +5}{\frac{1}{4}, \frac{3}{4}, \frac{6}{4}, \frac{10}{4}, \frac{15}{4}} \cdots\cdots \Rightarrow \text{분자에 더하는 수가 2부터 1씩 커지고 있}$$

습니다.

따라서 10번째 수는 $\dfrac{1+2+3+4+5+\cdots\cdots+10}{4}$이고,

20번째 수는 $\dfrac{1+2+3+4+5+\cdots\cdots+20}{4}$이므로

두 수의 차는

$$\frac{11+12+13+14+\cdots\cdots+20}{4} = \frac{(11+20)\times10\div2}{4}$$

$$= \frac{31\times10\div2}{4} = \frac{155}{4} = 38\frac{3}{4}\text{입니다.}$$

4 주어진 식을 $㉠+㉡\dfrac{㉣}{6}+㉢\dfrac{㉤}{6}$으로 바꾸어 생각해 봅니다.

해결 전략
㉠+㉡+㉢=6인 경우부터
㉠+㉡+㉢=12인 경우까지 생각해 봅니다.

- ㉠+㉡+㉢=6인 경우 1+2+3=6이므로

  계산 결과는 $1+2\dfrac{4}{6}+3\dfrac{5}{6}=7\dfrac{3}{6}$입니다.

보충 개념
$2+1\dfrac{5}{6}+3\dfrac{4}{6}=7\dfrac{3}{6}$이므로 ㉠, ㉡, ㉢의
순서가 바뀌어도 계산 결과는 같습니다.

  하지만 $7\dfrac{3}{6}<8$이므로 조건을 만족하지 않습니다.

- ㉠+㉡+㉢=7인 경우 1+2+4=7이므로

  계산 결과는 $1+2\dfrac{3}{6}+4\dfrac{5}{6}=8\dfrac{2}{6}$입니다.

- ㉠+㉡+㉢=8인 경우 1+2+5=8 또는 1+3+4=8이므로

  계산 결과는 $1+2\dfrac{3}{6}+5\dfrac{4}{6}=9\dfrac{1}{6}$ 또는 $1+3\dfrac{2}{6}+4\dfrac{5}{6}=9\dfrac{1}{6}$입니다.

- ㉠+㉡+㉢=9인 경우 1+3+5=9 또는 2+3+4=9이므로

  계산 결과는 $1+3\dfrac{2}{6}+5\dfrac{4}{6}=10$ 또는 $2+3\dfrac{1}{6}+4\dfrac{5}{6}=10$입니다.

- ㉠+㉡+㉢=10인 경우 1+4+5=10 또는 2+3+5=10이므로

  계산 결과는 $1+4\dfrac{2}{6}+5\dfrac{3}{6}=10\dfrac{5}{6}$ 또는 $2+3\dfrac{1}{6}+5\dfrac{4}{6}=10\dfrac{5}{6}$입니다.

- ㉠+㉡+㉢=11인 경우 2+4+5=11이므로

  계산 결과는 $2+4\dfrac{1}{6}+5\dfrac{3}{6}=11\dfrac{4}{6}$입니다.

- ㉠+㉡+㉢=12인 경우 3+4+5=12이므로

  계산 결과는 $3+4\dfrac{1}{6}+5\dfrac{2}{6}=12\dfrac{3}{6}$입니다.

따라서 나올 수 있는 계산 결과가 8보다 큰 경우는 모두 6가지입니다.

2-1. 조건을 만족하는 소수의 계산

1 ⑥.③−①.⑦②=④.⑤⑧　　**2** 76.4　　최상위 사고력 3.74

저자 톡! 소수점을 빠뜨리고 계산한 소수의 계산에서 원래의 소수를 찾는 내용입니다. 기호나 도형으로 수를 가린 후 숨겨진 수를 구하는 것을 복면산이라고 합니다. 복면산 문제를 풀 때는 세로셈을 이용하는 것이 편리한 경우가 많습니다. 처음에는 식으로 주어진 복면산을 해결해 보고, 더 나아가 스스로 기호를 사용하여 복면산 문제를 만들고 해결하는 과정을 통해 사고의 폭을 넓혀 봅니다.

1 주어진 식을

⑥.㉠−①.⑦㉡=㉢.㉣㉤

으로 바꾸어 나타냅니다.

이 가로셈을 소수점의 위치를 맞추어 세로셈으로 나타냅니다.

> **해결 전략**
> 가로셈을 세로셈으로 바꾸어 생각합니다.

> **보충 개념**
> 소수점 아래 자릿수가 다른 소수의 계산을 할 때는 오른쪽 끝자리에 0이 있는 것으로 생각하여 계산합니다.

$$
\begin{array}{r}
6.㉠ \\
- \;\; 1.7\,㉡ \\
\hline
㉢.㉣\,㉤
\end{array}
$$

$$
\begin{array}{r}
6.㉠ \\
- \;\; 1.7\,2 \\
\hline
㉢.㉣\,8
\end{array}
$$

㉡, ㉤에 들어갈 수 있는 수는 ㉡=8, ㉤=2 또는 ㉡=2, ㉤=8인데 계산 결과가 가장 커야 하므로 ㉡=2, ㉤=8입니다.

> **주의**
> 1부터 9까지의 서로 다른 자연수를 사용해야 하므로 이미 사용한 수 1, 6, 7은 사용할 수 없습니다.

$$
\begin{array}{r}
6.3 \\
- \;\; 1.7\,2 \\
\hline
㉢.5\,8
\end{array}
$$

㉠, ㉣에 들어갈 수 있는 수는 남은 수 3, 4, 5 중 ㉠=3, ㉣=5입니다.

$$
\begin{array}{r}
6.3 \\
- \;\; 1.7\,2 \\
\hline
㉢.5\,8
\end{array}
$$

㉢=6−1−1=4입니다.

$$
\begin{array}{r}
6.3 \\
- \;\; 1.7\,2 \\
\hline
4.5\,8
\end{array}
$$

2 어떤 소수의 소수점을 뺀 수에서 처음 소수를 뺐더니 687.6이 나왔으므로 어떤 소수의 자연수 부분은 두 자리 수, 소수 부분은 한 자리 수입니다.

어떤 소수를 AB.C라고 하여 뺄셈식을 세로셈으로 나타냅니다.

> **주의**
> 소수점 위치를 맞춰 세로셈으로 나타냅니다.

$$
\begin{array}{r}
A\,B\,C \\
- \;\; A\;\,B.C \\
\hline
6\,8\,7.6
\end{array}
$$

C, B, A 순서로 각 자리 숫자가 나타내는 수를 구합니다.

$$
\begin{array}{r}
A\,B\,C \\
- \;\; A\;\,B.C \\
\hline
6\,8\,7.6
\end{array}
\xrightarrow{C=4}
\begin{array}{r}
A\,B\,4 \\
- \;\; A\;\,B.4 \\
\hline
6\,8\,7.6
\end{array}
\xrightarrow{B=6}
\begin{array}{r}
A\,6\,4 \\
- \;\; A\;\,6.4 \\
\hline
6\,8\,7.6
\end{array}
\xrightarrow{A=7}
\begin{array}{r}
7\,6\,4 \\
- \;\; 7\;\,6.4 \\
\hline
6\,8\,7.6
\end{array}
$$

따라서 어떤 소수는 76.4입니다.

주어진 식을 바르게 계산하면

$5.24+3.98+2.16+3.74+3.19+4.74=23.05$입니다.

어떤 소수의 소수점을 빠뜨리고 계산한 결과와 바르게 계산한 결과의 차를 구하면

$393.31-23.05=370.26$입니다.

덧셈식에 사용된 소수는 모두 자연수 부분은 한 자리 수, 소수 부분은 두 자리 수이므로 소수점을 빠뜨린 수를 A.BC라고 하면

$ABC-A.BC=370.26$입니다.

$$\begin{array}{r} A\ B\ C \\ -\quad A.B\ C \\ \hline 3\ 7\ 0.2\ 6 \end{array} \xrightarrow{B=7,\,C=4} \begin{array}{r} A\ 7\ 4 \\ -\quad A.7\ 4 \\ \hline 3\ 7\ 0.2\ 6 \end{array} \xrightarrow{A=3} \begin{array}{r} 3\ 7\ 4 \\ -\quad 3.7\ 4 \\ \hline 3\ 7\ 0.2\ 6 \end{array}$$

따라서 소수점을 빠뜨리고 계산한 수는 3.74입니다.

해결 전략
바르게 계산한 결과와 잘못 계산한 결과는 소수점을 빠뜨린 수와 어떤 관계가 있는지 생각합니다.

2-2. 점수 계산

1 (1) 김명진, 손승우, 박진경 (2) 7.08점 6.7점

저자 톡! 체조, 피겨스케이팅과 같은 운동 경기에서는 선수들의 순위를 정할 때 여러 심사위원들이 점수를 매긴 후 그중에 가장 높은 점수와 가장 낮은 점수를 제외한 점수의 합을 구해 점수의 합이 높은 순서대로 순위를 정합니다. 여기서는 몇 명의 심사위원이 매긴 점수를 모를 때, 그 심사위원의 점수를 알아보는 방법을 학습합니다. 점수 판정 규칙을 다양한 관점에서 생각해 보며 소수의 크기 비교, 소수의 합과 차를 이용하여 문제를 합리적으로 해결하도록 합니다.

1 (1) 각 선수가 받은 점수 중에서 가장 높은 점수와 가장 낮은 점수에 × 표 합니다.

(단위: 점)

	심사위원 1	심사위원 2	심사위원 3	심사위원 4	심사위원 5
김명진	8.46	8.19	~~9.52~~	9.28	~~8.14~~
손승우	~~6.51~~	8.28	9.28	~~9.37~~	8.19
박진경	8.28	~~8.81~~	8.19	7.96	~~7.48~~

세 명의 나머지 점수를 비교합니다.

김명진: $8.46+\cancel{8.19}+\cancel{9.28}>$ 손승우: $8.28+\cancel{9.28}+\cancel{8.19}$

손승우: $\cancel{8.28}+9.28+\cancel{8.19}>$ 박진경: $\cancel{8.28}+\cancel{8.19}+7.96$

따라서 최종 점수가 높은 사람부터 차례로 김명진, 손승우, 박진경입니다.

(2) 심사위원 4의 점수를 제외하면 심사위원 2의 점수가 9.75점으로 가장 높고, 심사위원 6의 점수가 7.06점으로 가장 낮으므로 최종 점수에 나머지 심사위원 1, 3, 5의 점수는 반드시 포함됩니다.

심사위원 1, 3, 5의 점수의 합은 $8.52+8.89+9.27=26.68$(점)이고,

해결 전략
주어진 수를 모두 더해서 비교하지 않고 같은 수를 지우고 남은 수를 비교하는 방법으로 문제를 해결합니다.

해결 전략
최종 점수에 반드시 포함되는 점수는 어느 심사위원의 점수인지 생각합니다.

최종 점수가 33.76점이므로 나머지 다른 심사위원의 점수의 합은

33.76－26.68＝7.08(점)입니다.

7.08점은 가장 높은 점수도 아니고 가장 낮은 점수도 아니므로 최종

점수에 포함됩니다.

따라서 심사위원 4의 점수는 7.08점입니다.

최상위 사고력 빈칸을 제외하면 7.3점이 가장 높고 6.9점이 가장 낮으므로 심사위원 4의 점수 7.1점은 반드시 포함됩니다.

따라서 최종 점수에 포함되는 나머지 두 점수의 합은 20.7－7.1＝13.6(점)입니다.

가장 낮은 점수인 6.9점과 가장 높은 점수인 7.3점이 최종 점수에 포함되는 경우와 포함되지 않는 경우로 나누어 생각합니다.

① 6.9점만 포함되는 경우(6.9점보다 낮은 점수가 있고, 7.3점이 가장 높은 경우)

나머지 점수는 13.6－6.9＝6.7(점)이므로 심사위원 1 또는 심사위원 5의 점수는 6.7점입니다. 이때 6.7점보다 더 높은 점수가 있으면 6.7점이 최종 점수에 포함되지 않으므로 6.7점이 나머지 점수보다는 높습니다.

따라서 심사위원 1, 5 중에서 더 높은 점수는 6.7점입니다.

② 7.3점만 포함되는 경우(7.3점보다 높은 점수가 있고, 6.9점이 가장 낮은 경우)

나머지 점수는 13.6－7.3＝6.3(점)입니다. 하지만 가장 낮은 점수 6.9점보다 낮으므로 불가능합니다.

③ 6.9점, 7.3점 둘 다 포함되는 경우(6.9점보다 낮은 점수가 있고, 7.3점보다 높은 점수가 있는 경우)

나머지 두 점수의 합이 13.6이어야 하는데 6.9＋7.3＝14.2이므로 불가능합니다.

④ 6.9점, 7.3점 둘 다 포함되지 않는 경우(6.9점이 가장 낮고, 7.3점이 가장 높은 경우)

13.6＝6.8＋6.8＝6.9＋6.7＝7＋6.6＝⋯⋯이므로 6.9점보다 더 낮은 점수가 반드시 있게 되어 불가능합니다.

따라서 빈칸에 들어갈 점수 중 더 높은 점수는 6.7점입니다.

2-3. 규칙과 소수

1 (1) 18 (2) 22 (3) 49.995 (4) 1.48 (5) 17.000000001   **최상위 사고력** 1.02

저자 톡! 복잡해 보이는 소수의 계산을 규칙을 이용하여 간단하게 계산해 봅니다. 계산이 쉽도록 수를 묶어서 계산하기, 계산 결과가 같은 수끼리 묶어서 계산하기, 하나의 수를 두 개의 수로 분해하기 등 기본적인 연산 감각이 필요한 주제입니다. 이런 유형의 문제는 출제자의 의도를 파악하여 식을 간단히 바꾸어 계산해 봅니다.

1 (1) 합이 3이 되는 두 수씩 묶어 계산합니다.

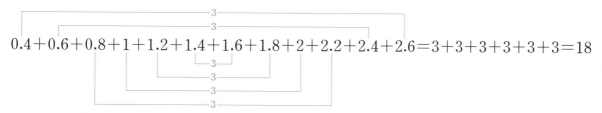

(2) 소수 첫째 자리와 소수 둘째 자리 수의 합이 1이 되는 두 수씩 묶어 계산합니다.

$$2.49+3.47+2.51+3.75+4.38+1.53+2.62+1.25$$
$$=(2.49+2.51)+(3.47+1.53)+(3.75+1.25)+(4.38+2.62)$$
$$=5+5+5+7=22$$

(3) 각 자리 숫자가 나타내는 수들의 합을 모두 더합니다.

$$(1+2+3+\cdots+8+9)+(0.1+0.2+0.3+\cdots+0.8+0.9)$$
$$+(0.01+0.02+0.03+\cdots+0.08+0.09)+(0.001+0.002+0.003+\cdots+0.008+0.009)$$
$$=45+4.5+0.45+0.045$$
$$=49.995$$

(4) 두 수씩 묶어서 계산합니다.

$$0.99+(-0.01+0.02)+(-0.03+0.04)+\cdots+(-0.97+0.98)$$
$$=0.99+\underbrace{0.01+0.01+\cdots+0.01}_{49개}$$
$$=0.99+0.49$$
$$=1.48$$

(5) 각 소수에 어떤 수를 더해 2를 만들고 더한 어떤 수만큼 뺍니다.

$$1.1+1.91+1.991+1.9991+\cdots+1.999999991$$
$$=(1.1+0.9)-0.9+(1.91+0.09)-0.09+(1.991+0.009)-0.009$$
$$\text{같은 수를 더하고 뺀다.}$$
$$+\cdots+(1.999999991+0.000000009)-0.000000009$$
$$=\underbrace{2+2+2+\cdots+2}_{9개}-(\underbrace{0.9+0.09+0.009+\cdots+0.000000009}_{9개})$$
$$=18-0.999999999$$
$$=17.000000001$$

최상위 사고력 연산 기호가 반복되는 네 수씩 묶어 계산합니다.

$$\underbrace{(0.03+0.04-0.01-0.02)}_{0.04}+\underbrace{(0.07+0.08-0.05-0.06)}_{0.04}$$
$$+\underbrace{(0.11+0.12-0.09-0.1)}_{0.04}+\cdots$$
$$=0.04+0.04+0.04+\cdots$$

주어진 식에서 51번째 수는 $51\div4=12\cdots3$이므로
13번째 묶음의 3번째에 있습니다.
따라서 51번째 수까지 계산하면

$$(\underbrace{0.04+0.04+0.04+\cdots+0.04}_{12개})+0.51+0.52-0.49$$
$$=0.48+0.54=1.02$$입니다.

1 24.45   **2** 13.24

3 4개   **4** 0.11111110223456

1
$$\{35.14-18.245\}+[2.768+3.94]=\{16.895\}+[6.708]$$
$$=(16.895+0.555)+7$$
$$=17.45+7=24.45$$

> **해결 전략**
> 주어진 식을 앞에서부터 { }와 [ ]의 규칙에 맞게 각각 계산한 후 더합니다.

2 0.04씩 커지는 규칙입니다.

차례로 놓인 세 수 중에서 가운데 수를 □라 하면 세 수는

□−0.04, □, □+0.04입니다.

세 수의 합은 □+□+□이므로 □+□+□=39.6, □=13.2입니다.

따라서 세 수 중 가장 큰 수는 13.2+0.04=13.24입니다.

> **해결 전략**
> 차례로 놓인 세 수 중에서 가운데 수를 □로 놓고 계산합니다.

3 • ㉠.㉡㉢>㉣.㉤㉥이므로 ㉠>㉣입니다.

  ㉠+㉣=15 또는 ㉠+㉣=14이므로

  (㉠, ㉣)=(9, 6), (8, 7), (9, 5), (8, 6)이 될 수 있습니다.

• 소수 둘째 자리의 계산에서 ㉢+㉥=7 또는 ㉢+㉥=17인데

  ㉢+㉥=17은 9+8=17뿐이므로 불가능합니다.

  따라서 ㉢+㉥=7이므로

  (㉢, ㉥)=(2, 5), (3, 4), (4, 3), (5, 2)로 4가지입니다.

• 소수 첫째 자리의 계산에서 ㉡+㉤=8만 가능하므로

  (㉡, ㉤)=(2, 6), (3, 5), (5, 3), (6, 2)로 4가지입니다.

  따라서 소수 첫째 자리에서 받아올림이 없으므로 자연수 (㉠+㉣)은

  15이고 (㉠, ㉣)=(9, 6), (8, 7)로 2가지만 가능합니다.

  (㉠, ㉣)=(9, 6)인 경우 ── (㉡, ㉤)=(3, 5) ── (㉢, ㉥)은 불가능
                             └─ (㉡, ㉤)=(5, 3) ── (㉢, ㉥)은 불가능

  (㉠, ㉣)=(8, 7)인 경우 ── (㉡, ㉤)=(2, 6) ── (㉢, ㉥)=(3, 4), (4, 3)
                             ├─ (㉡, ㉤)=(3, 5) ── (㉢, ㉥)은 불가능
                             ├─ (㉡, ㉤)=(5, 3) ── (㉢, ㉥)은 불가능
                             └─ (㉡, ㉤)=(6, 2) ── (㉢, ㉥)=(3, 4), (4, 3)

따라서 서로 다른 식은 8.23+7.64=15.87, 8.24+7.63=15.87,

8.63+7.24=15.87, 8.64+7.23=15.87로 모두 4개입니다.

> **보충 개념**
> ㉠은 9 또는 8이므로 ㉡, ㉥ 중 하나는 9도 아니고 8도 아닙니다.

> **보충 개념**
> ㉡+㉤=18은 9+9뿐이므로 불가능합니다.

4 소수 부분에 1부터 9까지의 수가 1개, 2개, 3개 ……씩 반복되어 나열
되는 규칙입니다.

9개의 수가 반복되어 나타나므로 $\square$번째 수의 마지막 자리 숫자는
$(1+2+3+4+\cdots\cdots+\square)\div9$의 나머지입니다.

・8번째 수의 마지막 자리 숫자는

$(1+2+3+4+\cdots\cdots+8)\div9=36\div9=4$이므로 9입니다.

보충 개념
나머지가 없을 때 마지막 자리의 숫자는 9
가 됩니다.

따라서 9번째 수는 소수 첫째 자리 숫자가 1인 소수 9자리 수인
0.123456789입니다.

・13번째 수의 마지막 자리 숫자는

$(1+2+3+4+\cdots+12+13)\div9=91\div9=10\cdots1$이므로
1입니다.

따라서 14번째 수는 소수 첫째 자리 숫자가 2인 소수 14자리 수인
0.23456789123456입니다.

➡ (14번째 수)-(9번째 수)

　=0.23456789123456-0.123456789

　=0.11111110223456

Review | 연산

26~28쪽

1 (1) 90.9　(2) 19.4444444445　(3) 30

2 9, 7, 8, 1

3 46.1

4 3, 15

5 6.15

6 심사위원 5

---

1 (1) $2.02+4.04+6.06+8.08+10.1+12.12+14.14+16.16+18.18$
　　$=20.2+20.2+20.2+20.2+10.1=80.8+10.1=90.9$

(2) 각 소수에 어떤 수를 더해 자연수를 만들고 더한 어떤 수만큼 **뺍니다**.

　　$1.5+1.95+1.995+1.9995+\cdots\cdots+1.9999999995$

　　$=(1.5+0.5)-0.5+(1.95+0.05)-0.05+(1.995+0.005)-0.005$

　　　$+\cdots\cdots+(1.9999999995+0.0000000005)-0.0000000005$

　　$=2+2+2+\cdots\cdots+2-(0.5+0.05+0.005+\cdots\cdots+0.0000000005)$

　　$=20-0.5555555555$

　　$=19.4444444445$

(3) 주어진 분수를 가분수로 나타내어 규칙을 찾아봅니다.

　　$\dfrac{3}{4}+\dfrac{5}{4}+\dfrac{7}{4}+\dfrac{9}{4}+\cdots\cdots+\dfrac{21}{4}$

　　이 분수들의 분자는 3부터 2씩 커지는 규칙입니다.

　　$3+2\times9=21$이므로 $\dfrac{21}{4}$은 10번째 수입니다.

　　따라서 $\dfrac{3}{4}+\dfrac{5}{4}+\dfrac{7}{4}+\dfrac{9}{4}+\cdots\cdots+\dfrac{21}{4}=\dfrac{24\times10\div2}{4}=\dfrac{120}{4}=30$입니다.

2

① 십의 자리의 계산에
서 백의 자리로 받아
올림이 있으므로
㉣＝1입니다.

② 소수 첫째 자리의 계
산에서 ㉠＋㉡＝㉡
이고 ㉠은 0이 아니
므로 ㉠＝9입니다.

③ 십의 자리의 계산에
서 ㉢은 9가 될 수 없
으므로 ㉢＝8입니다.

④ ㉡＝7입니다.

$$\begin{array}{r} ㉠㉡.㉠㉢ \\ +\;㉠\,1.㉡㉠ \\ \hline 1\,㉢\,㉠.㉡㉡ \end{array}$$

$$\begin{array}{r} 9㉡.9㉢ \\ +\;9\,1.㉡9 \\ \hline 1\,㉢\,9.㉡㉡ \end{array}$$

$$\begin{array}{r} 9㉡.9\,8 \\ +\;9\,1.㉡9 \\ \hline 1\,8\,9.㉡㉡ \end{array}$$

$$\begin{array}{r} 9\,7.9\,8 \\ +\;9\,1.7\,9 \\ \hline 1\,8\,9.7\,7 \end{array}$$

3 두 수의 차가 456.39로 자연수 부분은 세 자리 수이고, 소수 둘째 자리까지 있으므로
어떤 소수는 자연수 부분은 두 자리 수이고, 소수 첫째 자리까지 있는 수입니다.
어떤 수를 AB.C라 놓으면 두 수는 각각 ABC, A.BC입니다.

$$\begin{array}{r} A\;B\;C \\ -\quad\;A.B\;C \\ \hline 4\;5\;6.3\;9 \end{array}$$
$\xrightarrow{B=6,\,C=1}$
$$\begin{array}{r} A\;6\;1 \\ -\quad\;A.6\;1 \\ \hline 4\;5\;6.3\;9 \end{array}$$
$\xrightarrow{A=4}$
$$\begin{array}{r} 4\;6\;1 \\ -\quad\;4.6\;1 \\ \hline 4\;5\;6.3\;9 \end{array}$$

따라서 어떤 소수는 46.1입니다.

4

$$● \frac{1}{▲} + ● \frac{2}{▲} + ● \frac{3}{▲} + ● \frac{4}{▲} + \cdots\cdots + ● \frac{9}{▲}$$

$$= (● \times 9) + \frac{45}{▲} = 30 이므로$$

▲＝15, 45가 될 수 있습니다.

▲＝15인 경우: $(● \times 9) + 3 = 30$, $● \times 9 = 27$, $● = 3$입니다.

▲＝45인 경우: $(● \times 9) + 1 = 30$, $● \times 9 = 29$,
　　　　　　　　●가 될 수 있는 수가 없습니다.

따라서 ●＝3, ▲＝15입니다.

해결 전략
자연수는 자연수끼리, 분수는 분수끼리 계
산합니다.

보충 개념
대분수의 덧셈식이므로 ▲는 9보다 커야 합
니다.

5 1.1, 1.2, 1.19, 1.39, 1.37, 1.67, 1.64……
　　$\underset{+0.1}{\frown}\underset{-0.01}{\frown}\underset{+0.2}{\frown}\underset{-0.02}{\frown}\underset{+0.3}{\frown}\underset{-0.03}{\frown}$

더하는 수가 홀수 번째는 0.1부터 0.1씩 커지는 규칙이고, 짝수 번째는 0.01부터 0.01씩 작아지는 규칙입니다.
20번째 수는 첫 번째 수 1.1에 $0.1+0.2+0.3+\cdots\cdots+0.9+1=5.5$를 더한 값에서
$0.01+0.02+0.03+\cdots\cdots+0.09=0.45$를 빼면 됩니다.
따라서 20번째 수는 $1.1+5.5-0.45=6.15$입니다.

6 심사위원 5를 제외하면 심사위원 4의 점수가 9.54점으로 가장 높고 심
사위원 3의 점수가 8.58점으로 가장 낮으므로 최종 점수에 나머지 심사
위원 1, 2의 점수는 반드시 포함됩니다.
심사위원 1, 2의 점수의 합은 $9.17+8.93=18.1$(점)이므로
나머지 심사위원의 점수는 $27.64-18.1=9.54$(점)입니다.
이때 심사위원 5명의 점수가 모두 다르므로
최종 점수에 포함된 것은 심사위원 4의 점수입니다.
따라서 심사위원 5의 점수는 9.54점보다 높으므로 5명의 심사위원 중
가장 높은 점수를 준 것은 심사위원 5입니다.

해결 전략
최종 점수에 반드시 포함되는 점수는 어느
심사위원의 점수인지 생각합니다.

Ⅱ 도형

이번 단원에서는 교과서에서 학습한 사다리꼴, 평행사변형, 마름모 등 사각형의 여러 종류를 이용하여 크게 3가지 주제에 대해 학습합니다.

3 도형 퍼즐에서는 평면 상에서 도형을 다양하게 움직여가며 주어진 모양을 맞추어 보고, 도형을 겹쳤을 때 겹친 부분이 어떤 도형이 되는지 알아봅니다. 또한 주어진 모양의 색종이를 접어서 잘랐을 때 나오는 도형의 종류에 대해서 알아봅니다.

4 크고 작은 도형의 개수에서는 선으로 복잡하게 나누어진 도형에서 직사각형, 평행사변형 등의 크고 작은 사각형과 크고 작은 삼각형의 개수를 효율적인 방법으로 세어 봅니다.

5 점을 이어 만든 도형의 개수에서는 일정한 간격으로 찍힌 점판 위에서 수선과 평행선을 긋는 방법을 알아보고, 이를 바탕으로 점판 위의 정삼각형, 이등변삼각형, 평행사변형, 마름모 등의 크고 작은 도형의 개수를 빠짐없이 정확하게 세는 방법을 알아봅니다.

위의 주제들은 모두 사다리꼴, 평행사변형 등의 다양한 사각형에 대해 그 특징까지 정확히 알고 있어야 문제를 해결할 수 있습니다. 또한 도형을 머릿속으로 자유롭게 움직일 수 있는 공간감각도 요구되기 때문에 문제를 풀기에 앞서 교과서에서 배운 개념들을 다시 한번 점검해보고, 필요시 칠교조각, 색종이와 같은 구체물을 이용하여 문제를 해결합니다.

최상위 사고력 **3** 도형 퍼즐

3-1. 도형 맞추기 30~31쪽

1 ㉠ 또는 ㉑

최상위 사고력 A **예**

최상위 사고력 B **4가지**

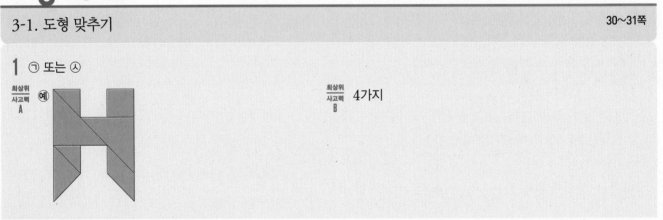

저자 톡! 칠교 조각을 이용하여 다양한 종류의 삼각형과 사각형을 만들고 알파벳 H 모양을 맞추어 봅니다. 칠교조각을 머릿속으로 돌리고 뒤집어 모양을 상상할 수 있는 공간감각이 필요하고, 도형들 사이에 넓이나 길이 사이의 관계도 이용할 수 있어야 합니다. 칠교 퍼즐 문제는 수없이 다양하므로 필요에 따라 칠교조각을 직접 만들어 풀어 보도록 합니다.

1 칠교 조각은 가장 큰 2조각, 중간 크기 3조각, 가장 작은 2조각으로 이루어져 있습니다. 7조각 중에서 중간 크기의 조각이나 가장 작은 조각 1개를 연속하여 움직여서는 조건을 만족하는 도형을 만들 수 없습니다. 따라서 가장 큰 조각인 직각삼각형을 다양하게 움직여서 다음 단계의 도형을 만들어 봅니다.

> **해결 전략**
> 가장 큰 조각의 위치를 먼저 정합니다.

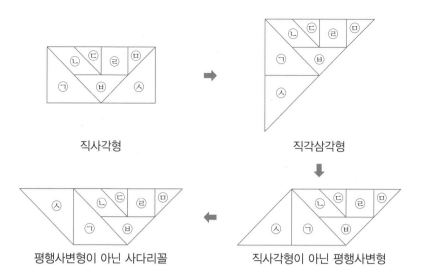

직사각형   직각삼각형

평행사변형이 아닌 사다리꼴   직사각형이 아닌 평행사변형

해결 전략
가장 큰 조각부터 맞추어 봅니다.

최상위 사고력 A 작은 조각을 놓을 수 있는 방법은 큰 조각을 놓을 수 있는 방법보다 많습니다. 따라서 가장 큰 조각인 직각삼각형 2조각부터 놓을 수 있는 자리를 찾아봅니다. 직각삼각형을 놓을 수 있는 곳은 다음 4군데입니다.

주어진 모양은 좌우 대칭이므로 다음 중 한 가지 경우로 가장 큰 2조각을 맞춘 후 나머지 조각을 맞춥니다.

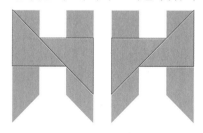

해결 전략
평행사변형은 마주 보는 두 쌍의 변이 서로 평행한 사각형입니다. 먼저 만들어야 하는 평행사변형의 모양을 직각이 있는 것과 없는 것으로 나누어 생각해 봅니다.

최상위 사고력 B 변의 길이가 같은 부분끼리 맞닿도록 3조각을 맞춰 평행사변형을 만들어 봅니다.

3조각을 한꺼번에 맞추기보다 먼저 2조각을 맞춘 후 나머지 1조각을 다양한 방법으로 골라 길이가 맞는 여러 부분에 맞춥니다.

칠교판의 5조각을 앞에서부터 차례로 ㉠, ㉡, ㉢, ㉣, ㉤이라 하면 만들수 있는 평행사변형은 다음과 같이 4가지 모양입니다.

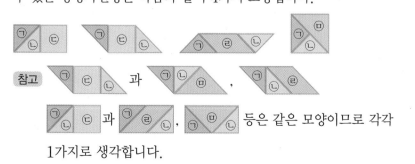

참고 등은 같은 모양이므로 각각 1가지로 생각합니다.

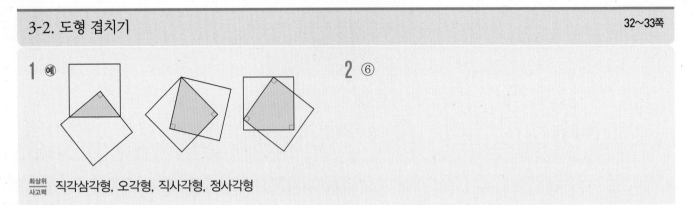

1 예

2 ⑥

최상위
사고력 직각삼각형, 오각형, 직사각형, 정사각형

저자 톡! 2개의 도형을 겹쳤을 때 겹친 부분으로 나올 수 있는 모양을 알아보는 내용입니다. 도형 2개를 동시에 움직이면 찾은 도형을 또 찾거나 찾아야 할 도형을 빠뜨릴 수 있으므로 하나의 도형을 고정시켜 기준을 정한 후 다른 도형을 움직여 가며 찾도록 합니다. 특히 문제를 해결하기 위해서는 평행사변형, 사다리꼴, 직사각형 등 사각형의 종류에 대해 잘 파악하고 있어야 합니다.

1 겹쳐진 부분은 2개의 정사각형의 일부분입니다. 따라서 정사각형의 특징 중의 하나인 직각 부분을 먼저 찾고 주어진 정사각형과 길이가 같도록 변을 연장하여 네 변의 길이가 같은 정사각형 2개를 그립니다.

> 해결 전략
> 겹쳐진 부분의 변을 연장하여 정사각형을 그려도 됩니다.

2 ① ② ③

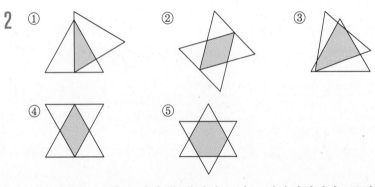

④ ⑤

> 해결 전략
> 한 정삼각형을 고정시킨 후 나머지 정삼각형을 여러 가지 방법으로 겹쳐서 주어진 도형을 만들어 봅니다.

사다리꼴은 평행한 변이 한 쌍이라도 있는 사각형입니다. 주어진 정삼각형을 겹쳐서 한 변을 평행하게 사각형을 만들어 보면 반드시 두 쌍의 변이 평행한 평행사변형이 만들어 집니다.
따라서 ⑥ 평행사변형이 아닌 사다리꼴은 나올 수 없습니다.

최상위
사고력 두 도형이 가장 먼저 겹쳐졌을 때 나오는 직각삼각형부터 직사각형을 직접 그려가며 겹쳐진 도형을 빠뜨리지 않고 찾아봅니다. 이때 겹치는 두 도형의 길이 관계에 주의하며 찾습니다.

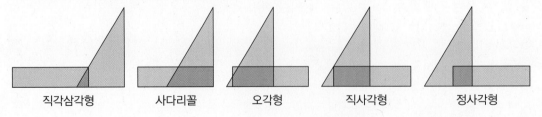

직각삼각형   사다리꼴   오각형   직사각형   정사각형

1 예
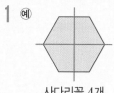
사다리꼴 4개

삼각형 2개
마름모 2개

사다리꼴 2개
육각형 1개

삼각형 1개
사다리꼴 3개

삼각형 1개
사다리꼴 1개
평행사변형 1개
오각형 1개

최상위
사고력
A

②, ⑥, ⑧

최상위
사고력
B
예

저자 톡! 접히거나 접혀 있지 않은 색종이를 잘라 주어진 도형을 만드는 내용입니다. 사다리꼴, 평행사변형 등 사각형의 종류와 특징에 대해 미리 숙지하고 있어야 문제를 해결할 수 있습니다. 도형을 자를 때는 도형의 꼭짓점과 변, 그리고 자르는 선의 위치 관계에 주목하며 자르는 선을 다양하게 바꾸어 보도록 합니다.

1 육각형을 2번 잘라 3조각이 나오려면 자르는 선이 육각형 안쪽에서 만나지 않게 잘라야 하고, 4조각이 나오려면 육각형 안쪽에서 만나게 잘라야 합니다.

해결 전략
육각형의 변과 변을 자를지, 변과 꼭짓점, 꼭짓점과 꼭짓점을 자를지 생각하며 주어진 도형이 나오도록 다양하게 잘라봅니다.

삼각형 2개
사다리꼴 1개

사다리꼴 4개

삼각형 2개
마름모 2개

사다리꼴 2개
육각형 1개

삼각형 1개
사다리꼴 3개

삼각형 1개
사다리꼴 1개
평행사변형 1개
오각형 1개

보충 개념
사다리꼴: 평행한 변이 한 쌍이라도 있는 사각형
평행사변형: 마주 보는 두 쌍의 변이 서로 평행한 사각형
마름모: 네 변의 길이가 모두 같은 사각형

최상위
사고력
A
① 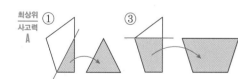 ③ ④ ⑤ ⑦

  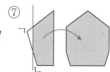 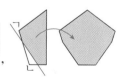

② 정오각형의 한 각의 크기는 108°이므로 어떤 방법으로 직선 1개를 그어도 그 선을 따라 잘랐을 때 각의 크기가 모두 90°인 정사각형은 나올 수 없습니다.

⑥ ②와 마찬가지로 각의 크기가 모두 120°인 정육각형은 나올 수 없습니다.

⑦ 한 꼭짓점(점 ㄱ 또는 점 ㄴ)을 포라야 칠각형이 생깁니다.

참고 정오각형을 잘라 만들 수 있는 각이 가장 많은 다각형은 칠각형입니다.

해결 전략
접힌 도형에서 자르는 선을 그을 수 있는 방법은 변과 변, 변과 꼭짓점, 꼭짓점과 꼭짓점을 잇는 3가지입니다.

ㄱ

ㄴ

나와야 하는 도형 중 1개(홀수)인 육각형이 안쪽 부분에 나올 수 있도록
자르는 선 2개를 찾아봅니다. 그런 다음 사다리꼴 4개, 삼각형 6개가 나
오도록 자르는 선을 찾습니다.

해결 전략
육각형이 나오기 위해서 잘라야 하는 부분
을 생각해 봅니다.

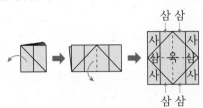

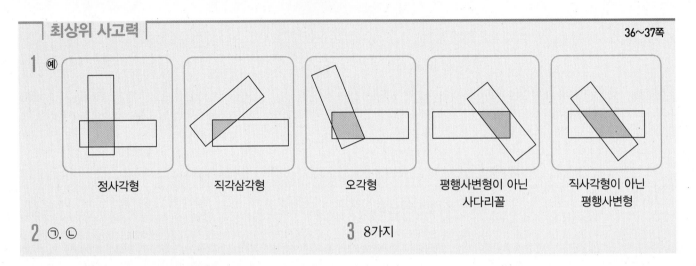

최상위 사고력

1 ⑨

정사각형 직각삼각형 오각형 평행사변형이 아닌
사다리꼴 직사각형이 아닌
평행사변형

2 ㉠, ㉡

3 8가지

---

1 하나의 직사각형을 고정시킨 후 다른 직사각형을 다양한 방법으로 겹쳐
서 주어진 도형을 만들어 봅니다.

주의
직사각형 2개의 모양과 크기가 같으므로 도
형을 겹칠 때 도형의 모양과 크기를 변형해
서는 안 됩니다.

2 각 조각의 크기와 변의 길이를 생각하면 7조각 중에서 ㉠ 또는 ㉡ 조각
을 1조각이라도 이용하면 이등변삼각형을 만들 수 없습니다.

3 2조각으로 만들 수 있는 평행사변형 : 2가지

해결 전략
사용한 조각이 2조각, 3조각, 4조각일 때로
각각 나누어 구해 봅니다.

3조각으로 만들 수 있는 평행사변형 : 4가지

4조각으로 만들 수 있는 평행사변형 : 2가지

 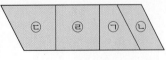

주의
직사각형은 평행사변형이므로 빠뜨리지 않
고 모두 찾을 수 있도록 합니다.

→ 2+4+2=8(가지)

4-1. 분류하여 도형의 개수 세기

1 (앞에서부터) 3, 10, 12, 24   최상위 사고력 A **9개**   최상위 사고력 B (앞에서부터) 8, 14, 25

저자 톡! 여러 개의 선으로 나누어진 도형에서 크고 작은 도형의 개수를 구하는 내용입니다. 도형을 계획 없이 무작정 세기보다, 이미 세었던 것을 중복하여 세지 않으며 빠뜨리지 않고 정확히 셀 수 있는 방법으로 구할 수 있도록 합니다.

1 마름모

1조각짜리 : 1개   2조각짜리 : 2개

1+2=3(개)

직사각형

1조각짜리 : 1개   2조각짜리 : 2개   3조각짜리 : 2개   4조각짜리 : 1개

5조각짜리 : 1개   6조각짜리 : 2개   8조각짜리 : 1개

1+2+2+1+1+2+1=10(개)

평행사변형

1조각짜리 : 1개   2조각짜리 : 2개   3조각짜리 : 3개

4조각짜리 : 2개   5조각짜리 : 1개

6조각짜리 : 2개   8조각짜리 : 1개

1+2+3+2+1+2+1=12(개)

평행사변형이 아닌 사다리꼴

1조각짜리 : 7개   2조각짜리 : 5개

3조각짜리 : 3개   4조각짜리 : 3개

5조각짜리 : 3개

6조각짜리 : 1개   7조각짜리 : 2개

7+5+3+3+3+1+2=24(개)

최상위 사고력 A 사다리꼴은 평행한 변이 한 쌍이라도 있는 사각형이므로 칠교 조각 중에서 한 쌍의 변이 평행한 ㉠, ㉡ 두 부분에서 찾습니다.

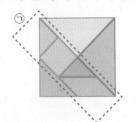 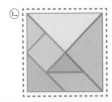

1조각짜리 : 2개

2조각짜리 : 3개

3조각짜리 : 2개

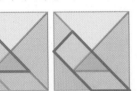

4조각짜리 : 1개   7조각짜리 : 1개

$2+3+2+1+1=9$(개)

참고 사다리꼴은 평행한 변이 한 쌍이라도 있는 사각형이므로 정사각형,
평행사변형도 사다리꼴입니다.

최상위 사고력 B
[마름모] 2조각짜리 : 8개
[평행사변형] 2조각짜리 : 8개, 4조각짜리 : 5개, 6조각짜리 : 1개 → 14개
[사다리꼴] 2조각짜리 : 8개, 3조각짜리 : 9개, 4조각짜리 : 5개,
　　　　　5조각짜리 : 2개, 6조각짜리 : 1개 → 25개

다른 풀이
마름모 : 8개
평행사변형 : 마름모＋마름모가 아닌 평행사변형＝8＋6＝14(개)
사다리꼴 : 평행사변형＋평행사변형이 아닌 사다리꼴＝14＋10＝24(개)

4-2. 규칙 찾아 도형의 개수 세기   40~41쪽

1	2	최상위 사고력
91개	90개	666개

저자 톡! 크고 작은 도형의 개수를 구하기 위해 앞에서는 포함하는 도형의 조각의 수로 나누어 도형의 개수를 구했습니다. 여기서 다루는 도형은 선으로 나누어진 조각의 수가 매우 많기 때문에 이 방법을 그대로 사용하는 것은 비효율적입니다. 따라서 이런 경우에 크고 작은 도형의 개수를 세는 방법을 알아봅니다.

1 ① 1칸짜리: $6 \times 6 = 36$(개)

② 4칸짜리: $5 \times 5 = 25$(개)

③ 9칸짜리: $4 \times 4 = 16$(개)

④ 16칸짜리: $3 \times 3 = 9$(개)

⑤ 25칸짜리: $2 \times 2 = 4$(개)

⑥ 36칸짜리: 1개

→ 정사각형의 총 개수: $36 + 25 + 16 + 9 + 4 + 1 = 91$(개)

해결 전략

1칸짜리, 4칸짜리, 9칸짜리, 16칸짜리, 25칸짜리, 36칸짜리로 나누어 개수를 구합니다.

> **지도 가이드**
>
> 가로와 세로에 한 변의 길이가 같은 정사각형으로 똑같이 나누어진 도형에서 찾을 수 있는 크고 작은 정사각형의 개수는 $1 \times 1 + 2 \times 2 + 3 \times 3 + 4 \times 4 + \cdots$와 같은 규칙이 있습니다.
>
>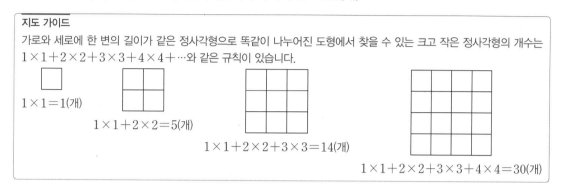

2 그림에서 평행사변형을 만드는 데 필요없는 선은 가로선 ㉠ 1개입니다.

(가로 한 줄에서 찾을 수 있는 평행사변형의 개수) × (세로 한 줄에서 찾을 수 있는 평행사변형의 개수) $= (5 + 4 + 3 + 2 + 1) \times (3 + 2 + 1)$

$$= 15 \times 6 = 90(개)$$

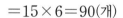
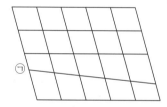

> **지도 가이드**
>
> 모든 평행사변형은 가로 한 줄에 있는 평행사변형과 세로 한 줄에 있는 평행사변형으로 만들어집니다.
>
> 예)
>
>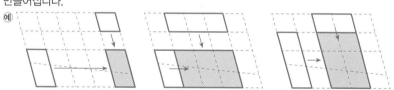
>
> 따라서 평행사변형(또는 직사각형)으로 이루어진 도형에서 찾을 수 있는 크고 작은 도형의 개수를 구할 때는 (가로 한 줄에서 찾을 수 있는 평행사변형의 개수) × (세로 한 줄에서 찾을 수 있는 평행사변형의 개수)로 구할 수 있습니다.

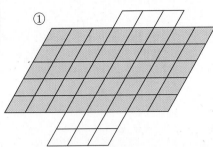 ① 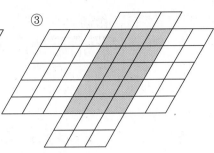 ② ③

1) ①번 모양에서 찾을 수 있는 평행사변형   2) ②번 모양에서 찾을 수 있는 평행사변형

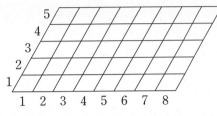
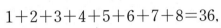

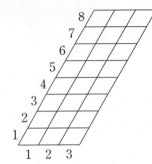

$1+2+3+4+5+6+7+8=36,$

$1+2+3+4+5=15$

$36 \times 15 = 540(개)$

$1+2+3=6,$

$1+2+3+4+5+6+7+8=36$

$6 \times 36 = 216(개)$

3) ③번 모양에서 찾을 수 있는 평행사변형

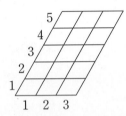

$1+2+3=6,$

$1+2+3+4+5=15$

$6 \times 15 = 90(개)$

> **해결 전략**
> (평행사변형의 개수)=①+②-③

→ 찾을 수 있는 크고 작은 평행사변형의 총 개수:

①+②-③=540+216-90=666(개)

4-3. 조건이 있는 도형의 개수 세기

42~43쪽

1 (1) 48개 (2) 54개   최상위 사고력 **A** 108개   최상위 사고력 **B** (앞에서부터) 12, 52

> **저자 톡!** 앞에서는 크고 작은 도형의 개수를 모두 세었다면 이번에는 특정한 모양이나 선을 포함하는 도형의 개수를 구합니다. 앞에서와 같이 크고 작은 도형의 개수를 세어서 구하기에는 많아서 불편하므로 곱의 원리를 이용하여 간단히 구할 수 있도록 합니다.

1 (1) 가로줄에서 ★이 포함된 경우

1칸짜리 1개, 2칸짜리 2개, 3칸짜리 2개, 4칸짜리 1개

: $1+2+2+1=6(개)$

세로줄에서 ★이 포함된 경우

1칸짜리 1개, 2칸짜리 2개, 3칸짜리 2개, 4칸짜리 2개, 5칸짜리 1개

: $1+2+2+2+1=8(개)$

→ ★이 포함된 직사각형의 개수: $6 \times 8 = 48(개)$

> **해결 전략**
> 가로줄과 세로줄에서 ★이 포함된 사각형의 개수를 구합니다.

(2) ↗ 방향의 줄에서 ★이 포함된 경우

1칸짜리 1개, 2칸짜리 2개, 3칸짜리 3개, 4칸짜리 2개, 5칸짜리 1개: $1+2+3+2+1=9$(개)

↘ 방향의 줄에서 ★이 포함된 경우

1칸짜리 1개, 2칸짜리 2개, 3칸짜리 2개, 4칸짜리 1개: $1+2+2+1=6$(개)

→ ★이 포함된 사각형의 개수: $9 \times 6 = 54$(개)

최상위 사고력 A 둘째 줄의 ★을 ★1, 셋째 줄의 ★을 ★2라 하면

★1을 포함하는 사각형의 개수와 ★2를 포함하는 사각형의 개수를 구한 후 ★1, 2를 모두 포함하는 사각형의 개수를 뺍니다.

1) ★1을 포함하는 사각형의 개수

가로줄에서 ★을 포함하는 경우: 1칸짜리 1개, 2칸짜리 2개, 3칸짜리 3개, 4칸짜리 3개, 5칸짜리 2개, 6칸짜리 1개:

$1+2+3+3+2+1=12$(개)

세로줄에서 ★을 포함하는 경우: 1칸짜리 1개, 2칸짜리 2개, 3칸짜리 2개, 4칸짜리 1개: $1+2+2+1=6$(개)

★1을 포함하는 사각형의 개수: $12 \times 6 = 72$(개)

2) ★2를 포함하는 사각형의 개수

가로줄에서 ★을 포함하는 경우: 1칸짜리 1개, 2칸짜리 2개, 3칸짜리 3개, 4칸짜리 3개, 5칸짜리 2개, 6칸짜리 1개:

$1+2+3+3+2+1=12$(개)

세로줄에서 ★을 포함하는 경우: 1칸짜리 1개, 2칸짜리 2개, 3칸짜리 2개, 4칸짜리 1개: $1+2+2+1=6$(개)

★2를 포함하는 사각형의 개수: $12 \times 6 = 72$(개)

3) ★1, 2를 모두 포함하는 사각형의 개수

가로줄에서 ★1, 2를 모두 포함하는 경우:

4칸짜리 1개, 6칸짜리 2개, 8칸짜리 3개, 10칸짜리 2개, 12칸짜리 1개: $1+2+3+2+1=9$(개)

세로줄에서 ★1, 2를 모두 포함하는 경우:

4칸짜리 1개, 6칸짜리 2개, 8칸짜리 1개: $1+2+1=4$(개)

★1, 2를 모두 포함하는 사각형의 개수: $9 \times 4 = 36$(개)

→ $72+72-36=108$(개)

해결 전략
★1을 포함하는 사각형의 개수와 ★2를 포함하는 사각형의 개수를 셀 때, ★1, 2를 모두 포함하는 사각형의 개수를 중복해서 세었으므로

(★을 포함하는 사각형의 개수)
=(★1을 포함하는 사각형의 개수)
+(★2를 포함하는 사각형의 개수)
−(★1, 2를 모두 포함하는 사각형의 개수)입니다.

최상위
사고력
B
삼각형은 대각선의 일부분이 포함되어야 만들어집니다.

따라서 다음 6가지 대각선을 포함하는 삼각형으로 나누어 구합니다.

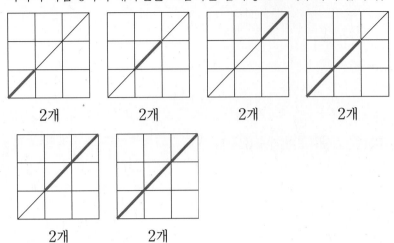

2개　　　2개　　　2개　　　2개

2개　　　2개

→ 삼각형: 12개

사각형은 대각선의 일부분을 포함하지 않는 경우와 포함하는 경우로 나누어 구합니다.

해결 전략
대각선을 포함하는 도형의 개수와 포함하지 않는 도형의 개수로 나누어 구한 후 더합니다.

① 대각선을 포함하지 않는 경우

　(가로 한 줄에 있는 사각형의 수) × (세로 한 줄에있는 사각형의 수)

　$= (3+2+1) \times (3+2+1) = 6 \times 6 = 36$(개)

② 대각선을 포함하는 경우

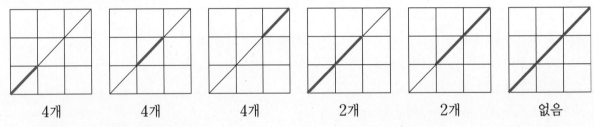

4개　　　4개　　　4개　　　2개　　　2개　　　없음

→ 사각형: $36 + 16 = 52$(개)

44~45쪽

최상위 사고력

1 80개　　　　　　　　　　2 16개

3 52개　　　　　　　　　　4 28개

1 1) 16칸짜리 정사각형에서 구할 수 있는 정사각형의 개수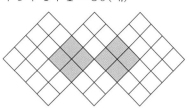

    ① 1칸짜리: $4 \times 4 = 16$(개)

    ② 4칸짜리: $3 \times 3 = 9$(개)

    ③ 9칸짜리: $2 \times 2 = 4$(개)

    ④ 16칸짜리: 1개   → $16 + 9 + 4 + 1 = 30$(개)

해결 전략

(찾을 수 있는 정사각형의 개수)=(4×4 정사각형 3개에 있는 정사각형의 개수) —(겹쳐진 두 부분 ㉠, ㉡에 있는 정사각형의 개수)

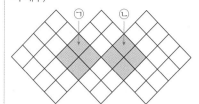

2) 16칸짜리 정사각형이 겹치는 부분에 있는 정사각형의 개수

    ① 1칸짜리: 8개

    ② 4칸짜리: 2개 → $8 + 2 = 10$(개)

→ $30 \times 3 - 10 = 80$(개)

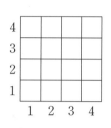

2 (가로 한 줄에 있는 사각형의 개수)×(세로 한 줄에 있는 사각형의 개수)$=100$(개)입니다. 10×10은 100에서 $(1+2+3+4) \times (1+2+3+4)$이므로 큰 정사각형은 작은 정사각형 $4 \times 4 = 16$(개)로 만든 것입니다.

	1	2	3	4
4				
3				
2				
1				

3 1) 한 변이 대각선이 아닌 경우

    가로줄에서 ♥가 포함된 경우: 1칸짜리 1개, 2칸짜리 2개, 3칸짜리 2개, 4칸짜리 1개: $1+2+2+1=6$(개)

    세로줄에서 ♥가 포함된 경우: 1칸짜리 1개, 2칸짜리 2개, 3칸짜리 2개, 4칸짜리 2개, 5칸짜리 1개: $1+2+2+2+1=8$(개)

→ ♥가 포함된 직사각형의 개수: $6 \times 8 = 48$(개)

2) 한 변이 대각선인 경우: 2칸짜리 1개, 3칸짜리 1개, 4칸짜리 1개, 5칸짜리 1개: $1+1+1+1=4$(개)

→ ♥가 포함된 사각형의 개수: $48 + 4 = 52$(개)

해결 전략

♥가 포함된 사각형 중 한 변이 대각선인 경우와 아닌 경우로 나누어 생각합니다.

4

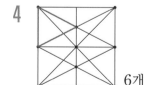 6개   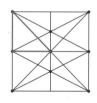 8개

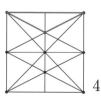 4개   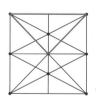 4개

 2개   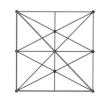 4개 → $6+8+4+4+2+4=28$(개)

해결 전략

주어진 모양에서 찾을 수 있는 이등변삼각형을 모양별로 나누어 개수를 셉니다.

1 예

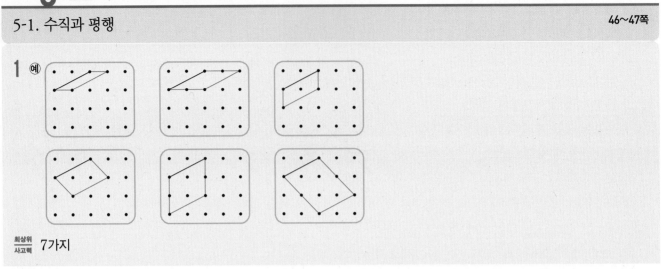

최상위
사고력 7가지

저자 톡! 점판 위에 평행인 직선과 수직인 직선을 긋는 방법을 알아보고, 이를 이용하여 그릴 수 있는 평행사변형과 마름모를 찾습니다. 두 직선이 평행한지 또는 수직인지 알아볼 때에는 눈짐작으로 어림하여 판단하기보다 점 사이의 간격을 세어 구분하도록 합니다.

1 평행사변형은 마주 보는 두 쌍의 변이 서로 평행하고 마주 보는 변끼리 길이가 같아야 하므로 주어진 변과 평행하며 길이가 같은 선분을 먼저 긋습니다.

최상위
사고력 마름모는 네 변의 길이가 모두 같은 사각형이므로 먼저 마름모의 한 변이 될 수 있는 변의 길이를 정합니다.

주의
정사각형도 마름모이므로 빠뜨리지 않도록 주의합니다.

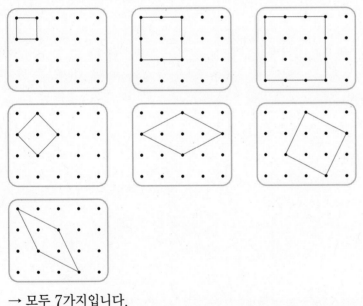

→ 모두 7가지입니다.

1

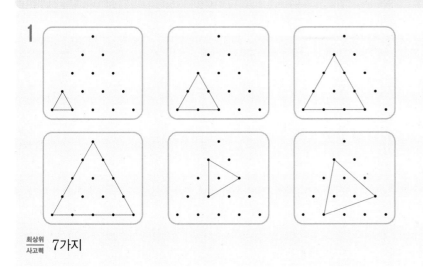

2 24개

7가지

저자 톡! 점 사이의 간격이 일정한 삼각형 모양의 점판과 원 모양의 점판에 그릴 수 있는 정삼각형, 이등변삼각형을 찾는 내용입니다. 도형을 찾을 때는 변의 길이를 짧은 것부터 긴 것까지, 바로 놓인 것과 비스듬히 놓인 것 등 여러 가지 기준을 정하여 빠짐 없이 모두 찾도록 합니다.

1 정삼각형의 한 변이 될 수 있는 선분을 먼저 찾습니다. 그런 다음 나머지 부분을 이어 정삼각형을 완성합니다. 이때 정삼각형 중에 기울어진 정삼각형도 있으므로 빠뜨리지 않고 모두 그릴 수 있도록 합니다.

2 ① 1칸 떨어진 두 점을 밑변으로 하는 이등변삼각형은 만들 수 없습니다.
② 2칸 떨어진 두 점을 밑변으로 하는 경우는 다음과 같습니다.

해결 전략
먼저 이등변삼각형의 밑변의 길이로 가능한 경우를 길이가 짧은 것부터 모두 찾아봅니다.

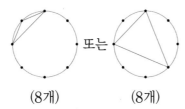
또는

(8개)   (8개)

→ 원 위의 점이 모두 8개이므로 그릴 수 있는 이등변삼각형은 모두
8+8=16(개)입니다.
③ 3칸 떨어진 두 점을 밑변으로 하는 이등변삼각형은 만들 수 없습니다.
④ 4칸 떨어진 두 점을 밑변으로 하는 경우는 다음과 같습니다.

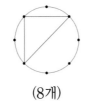

(8개)

→ 원 위의 점이 모두 8개이므로 그릴 수 있는 이등변삼각형은 모두
8개입니다.
따라서 3개의 점을 이어서 그릴 수 있는 이등변삼각형은 모두
16+8=24(개)입니다.

최상위 사고력 먼저 이등변삼각형의 밑변으로 가능한 경우를 길이가 짧은 것부터 모두 찾아봅니다.

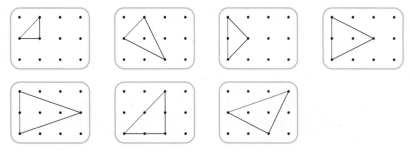

따라서 이등변삼각형은 모두 7가지입니다.

5-3. 원과 평면 위에 있는 삼각형의 개수

50~51쪽

1 (1) 6개 (2) 10개 (3) 15개 **2** 35개 **최상위 사고력** 76개

저자 톡! 원 모양의 점판 위에 그릴 수 있는 삼각형의 개수를 곱셈과 나눗셈을 이용한 식으로 나타내어 간단히 구하는 내용입니다. 선분의 개수를 구할 때는 한 점을 기준으로, 삼각형의 개수를 구할 때는 한 선분을 기준으로 그릴 수 있는 방법을 생각해 보도록 합니다. 또한 일반적인 점판 위에 삼각형을 그릴 수 있는 방법을 찾을 때는 원 모양의 점판 위에 삼각형을 그리는 방법을 이용하도록 합니다.

1 (1) 점 ㄱ에서 그을 수 있는 선분은 3개이고 원 위의 점은 4개이므로 각 점에서 그을 수 있는 선분은 모두 $3 \times 4 = 12$(개)입니다. 그런데 (선분 ㄱㄴ) $=$(선분 ㄴㄱ)이므로 2개의 점을 이어서 그릴 수 있는 선분은 $12 \div 2 = 6$(개)입니다.

해결 전략
한 점을 기준으로 그 점에서 그릴 수 있는 선분의 개수를 세어 구합니다.

다른 풀이
각 점에 그을 수 있는 선분의 수와 중복된 선분의 수를 이용하면
(원 위의 점을 이어 그릴 수 있는 선분의 개수)
$=$(한 점에서 그을 수 있는 선분의 개수)$\times$(원 위의 점의 개수)$\div$2입니다.
따라서 원 위에 있는 4개의 점을 이어 그릴 수 있는 선분의 개수는 $3 \times 4 \div 2 = 6$(개)입니다.

(2) 한 점에서 그을 수 있는 선분의 개수는 4개이므로
  $5 \times 4 \div 2 = 10$(개)입니다.

(3) 한 점에서 그을 수 있는 선분의 개수는 5개이므로
  $6 \times 5 \div 2 = 15$(개)입니다

2 원 위의 7개의 점을 이어 그을 수 있는 선분은 $7 \times 6 \div 2 = 21$(개)입니다.

각 선분마다 그 선분 위에 있지 않은 나머지 점 5개를 각각 이어 삼각형을 만들 수 있으므로 21개의 선분에 대해서 그릴 수 있는 삼각형은 $21 \times 5 = 105$(개)입니다. 이 중에서 각 삼각형은 세 변마다 각각 한 번씩 세게 되므로 같은 것이 3개가 중복됩니다. 따라서 그릴 수 있는 삼각형은 모두 $105 \div 3 = 35$(개)입니다.

최상위 사고력 ① 원 위의 9개의 점을 이어 그릴 수 있는 선분의 개수는
$9 \times 8 \div 2 = 36$(개)입니다.
36개의 선분을 이용하여 그릴 수 있는 삼각형의 개수는
$36 \times 7 \div 3 = 84$(개)입니다.
② 9개의 점판 위에 세 점이 한 직선 위에 있는 경우는 다음과 같이 8개입니다.

따라서 그릴 수 있는 삼각형은 모두 $84 - 8 = 76$(개)입니다.

최상위 사고력

52~53쪽

1 14개

2 31개

3

4 7가지

1 ① 윗변이 1칸인 경우

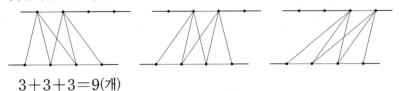

$$3+3+3=9(개)$$

② 윗변이 2칸인 경우

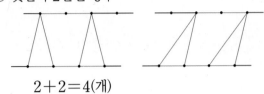

$$2+2=4(개)$$

③ 윗변이 3칸인 경우

1개

따라서 그릴 수 있는 평행사변형은 모두 $9+4+1=14(개)$입니다.

해결 전략
평행사변형은 윗변의 길이와 아랫변의 길이가 같아야 하므로 윗변의 길이가 1칸, 2칸, 3칸인 경우로 나누어 구합니다. 이때 아랫변의 위치에 따라 그릴 수 있는 평행사변형을 모두 구합니다.

2 1) 원 위의 7개의 점에서 그릴 수 있는 삼각형의 개수

① 그릴 수 있는 선분의 개수: $7 \times 6 \div 2 = 21(개)$

② ①의 각 선분에서 그릴 수 있는 삼각형의 개수의 합:

$21 \times 5 = 105(개)$

③ ②에서 구한 삼각형의 개수 중 중복되는 삼각형의 개수 빼기:

$105 \div 3 = 35(개)$

2) 반원 위의 7개의 점에서 그릴 수 없는 삼각형의 개수

일직선 위의 세 점을 이어 그린 경우: 4개

→ $35 - 4 = 31(개)$

해결 전략
원 위에 7개의 점이 원 위에 있을 때 그릴 수 있는 삼각형의 개수에서 일직선 위에 세 점이 있는 경우의 수의 개수를 빼어 구합니다.

3 평행사변형이 아닌 사다리꼴이므로 평행한 변이 한 쌍인 사각형을 그려야 합니다.

먼저 주어진 변과 평행한 선분을 그릴 수 있는지 알아봅니다.

주어진 선분과 평행한 선분은 모두 길이까지 같게 되므로 평행사변형이 만들어집니다.

따라서 주어진 변이 아닌 다른 두 변이 평행하도록 주어진 변을 포함하는 사다리꼴을 그려 봅니다.

해결 전략
평행사변형이 아닌 사다리꼴이므로 한 쌍의 변만 평행한 사각형을 그립니다.

4 먼저 수직으로 만나는 2개의 대각선을 모두 찾아봅니다. 이때 대각선의 길이가 다른 것도 함께 찾습니다.

① 대각선이 가로와 세로 방향으로 똑바로 놓인 경우

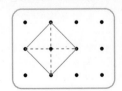 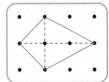

② 대각선이 비스듬히 놓인 경우

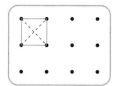 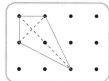 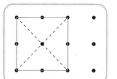 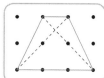 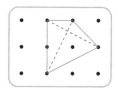

따라서 대각선이 수직으로 만나는 사각형은 모두 7가지입니다.

1 6개   **2** ⑤

3 27개   **4** 120개

5 (예)

 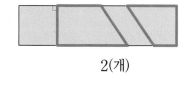

6

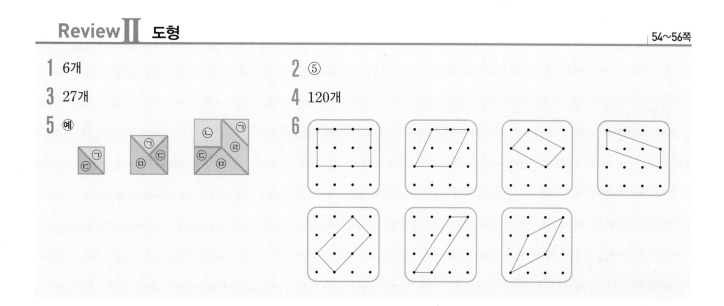

---

1 평행사변형이 아닌 사다리꼴은 평행한 변이 한 쌍인 사각형입니다. 직사각형의 가로는 평행하므로 나머지 한 쌍의 변이 평행하지 않는 ㉠ 또는 ㉡을 포함하는 사각형을 찾습니다.

 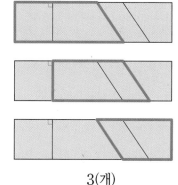

해결 전략
한 쌍의 변만 평행한 사각형을 찾습니다.

① 1조각짜리

2(개)

② 2조각짜리

3(개)

③ 3조각짜리

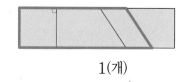

1(개)

따라서 평행사변형이 아닌 사다리꼴은 모두 2+3+1=6(개)입니다.

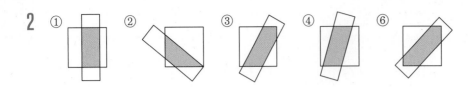

3 다음과 같이 오른쪽 상단에 작은 사각형이 있다고 생각하고, ★을 포함하는 사각형의 개수를 구한 후 ★과 ㉠을 동시에 포함하는 사각형의 개수를 빼어 구합니다.

① ★을 포함하는 사각형의 개수

(★을 포함하는 가로 한 줄에 있는 사각형의 수)

×(★을 포함하는 세로 한 줄에 있는 사각형의 수)

=(1+2+2+1)×(1+2+2+1)=36(개)입니다.

② ★와 ㉠를 동시에 포함하는 사각형의 개수

(★, ㉠을 동시에 포함하는 가로줄에 있는 사각형의 수)

×(★,㉠을 동시에 포함하는 세로줄에 있는 사각형의 수)

=(1+2)×(1+2)=3×3=9(개)입니다.

따라서 ★을 포함하는 크고 작은 사각형은 36−9=27(개)입니다.

4 원 위의 10개의 점을 이어 만들 수 있는 선분은 10×9÷2=45(개)입니다.

각 선분마다 선분 위에 있지 않은 나머지 점 8개를 각각 이어 삼각형을 만들 수 있으므로 45개의 선분에 대해서 그릴 수 있는 삼각형은 45×8=360(개)입니다. 이 중에서 각 삼각형은 세 변마다 각각 한 번씩 세게 되므로 같은 것이 3개가 중복됩니다. 따라서 그릴 수 있는 삼각형은 모두 360÷3=120(개)입니다.

> **해결 전략**
> 원 위에 그릴 수 있는 삼각형은 하나의 선분과 선분 위에 있지 않은 한 점으로 정해집니다.

5 크기가 서로 다른 정사각형은 한 변의 길이가 모두 다릅니다. 칠교 조각 중 한 변의 길이가 ㉮, ㉯, ㉰ 3가지인 경우로 크기가 서로 다른 정사각형을 만들어 봅니다.

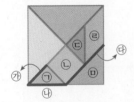

6 도형 안에 점이 2개 있는 평행사변형은 점 ㄱ, ㄴ, ㄷ, ㄹ 4개 중 2개의 점을 포함하는 도형입니다.
돌리거나 뒤집어서 같아지는 도형은 같은 것이므로 2가지 경우로 나누어 찾아봅니다.

① 점 ㄱ, ㄴ을 포함하는 평행사변형

② 점 ㄴ, ㄷ을 포함하는 평행사변형

Ⅲ 측정

이번 단원에서는 여러 가지 삼각형과 사각형의 성질과 평행선에서 각의 성질을 이용하여 다양한 각의 크기를 구하는 주제를 **6** 삼각형과 각도, **7** 평행선과 각도, **8** 다각형과 각도, **9** 도형의 이동과 각도에서 학습합니다. 또한 실생활에서 각의 크기를 활용하는 예로 대표적인 **10** 테셀레이션에 대해 알아봅니다.

6 삼각형과 각도에서는 이등변삼각형과 정삼각형의 성질에 주목하여 여러 가지 각의 크기를 구하고, **7** 평행선과 각도에서는 평행선과 한 직선이 만날 때 동위각과 엇각의 성질을 이용하여 주어진 각의 크기를 구합니다. **6, 7**단원의 내용은 다음 **8, 9, 10**단원에 나오는 내용의 기초가 되는 내용이므로 충분한 시간을 가지고 학습할 수 있도록 합니다.

8 다각형과 각도에서는 평행한 변이 있는 사각형인 평행사변형과 사다리꼴, 네 변의 길이가 모두 같은 사각형인 마름모의 성질에 주목하여 문제를 해결합니다.

9 도형의 이동과 각도에서는 도형을 겹치거나, 회전 또는 접어서 이동시킨 도형에서 앞서 학습한 삼각형과 사각형, 평행선을 찾아 동위각과 엇각의 성질을 이용하여 주어진 각의 크기를 구합니다.

10 테셀레이션에서는 한 종류 또는 두 가지 이상의 정다각형의 각의 크기를 구해 바닥을 겹치지 않고 빈틈없이 덮는 테셀레이션에 대해 학습합니다.

각도 문제는 초등학교뿐만 아니라 중학교, 고등학교 교과 과정에서도 계속 등장하는 중요한 주제이며, 많은 학생들이 어려워하는 주제 중의 하나이므로 기본 개념을 충실히 다지는 것이 중요합니다. 문제에 주어진 조건을 분석하여, 문제를 해결하는데 추가적으로 필요한 평행선을 추가하거나 숨겨진 도형을 발견해야 하는 경우가 많으므로 문제를 꼼꼼히 읽고 끝까지 포기하지 않으면 어려운 문제도 해결할 수 있는 실력을 얻게 될 것입니다.

최상위 사고력 **6 삼각형과 각도**

6-1. 이등변삼각형

58~59쪽

1 $30°$	**2** $130°$	최상위 사고력 $12°$

저자 톡! 이등변삼각형의 성질을 이용하여 각의 크기를 구하는 내용입니다. 이등변삼각형은 두 변의 길이가 같고 두 각의 크기가 같습니다. 따라서 이등변삼각형의 성질을 이용하여 문제를 해결하려면 길이가 같은 변은 어느 것인지, 크기가 같은 각은 어느 것인지에 주목하도록 합니다.

1 삼각형 ㄱㅇㄴ, 삼각형 ㄱㅇㄷ, 삼각형 ㄴㅇㄷ은 두 변의 길이가 같으므로 모두 이등변삼각형입니다.

따라서 (각 ㅇㄱㄴ)=(각 ㅇㄴㄱ)=20°,
(각 ㅇㄱㄷ)=(각 ㅇㄷㄱ)=40°,
(각 ㅇㄴㄷ)=(각 ㅇㄷㄴ)=㉠입니다.
삼각형의 세 각의 크기의 합은 180°이므로
삼각형 ㄱㄴㄷ에서 20°+40°+20°+㉠+㉠+40°=180°,
120°+㉠+㉠=180°,
㉠+㉠=180°-120°=60°, ㉠=30°입니다.

> 해결 전략
> 이등변삼각형의 두 각의 크기가 같음을 이용합니다.

2 주어진 도형에서 서로 다른 모양의 이등변삼각형 4개를 찾을 수 있습니다. 이등변삼각형의 두 각의 크기는 같다는 성질을 이용하여 가장 왼쪽에 있는 삼각형부터 알 수 있는 각의 크기를 구해 봅니다.

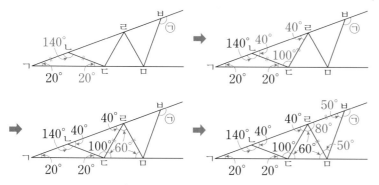

따라서 ㉠=180°−50°=130°입니다.

해결 전략
이등변삼각형의 두 각의 크기가 같음을 이용합니다.

보충 개념

내각: 다각형에서 두 변으로 이루어진 각
외각: 다각형에서 한 변과 다른 변의 연장선이 이루는 각
삼각형의 한 외각의 크기는 이와 이웃하지 않는 두 내각의 크기의 합과 같습니다.

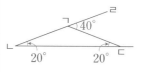

∠ㄹㄷㄷ=∠ㄱㄴㄷ+∠ㄱㄷㄴ

최상위 사고력 삼각형 ㄱㄹㄷ에서 (변 ㄱㄹ)=(변 ㄹㄷ)이므로 삼각형 ㄱㄹㄷ은 이등변삼각형입니다.

(각 ㄹㄱㄷ)=(각 ㄹㄷㄱ)이므로

(각 ㄹㄱㄷ)+(각 ㄹㄷㄱ)=180°−68°=112°

(각 ㄹㄱㄷ)=(각 ㄹㄷㄱ)=112°÷2=56°입니다.

삼각형 ㄱㄴㄷ에서 (변 ㄱㄴ)=(변 ㄱㄷ)이므로 삼각형 ㄱㄴㄷ도 이등변삼각형입니다.

(각 ㄱㄴㄷ)=(각 ㄱㄷㄴ)=56°이므로

(각 ㄴㄱㄷ)=180°−56°−56°=68°입니다.

따라서 ㉠=68°−56°=12°입니다.

해결 전략
먼저 이등변삼각형을 찾고 크기가 같은 두 각을 찾아봅니다.

6-2. 숨겨진 이등변삼각형 · 60~61쪽

1 45° **2** 45° **최상위 사고력** 105°

저자 톡! 이 단원에서는 정삼각형, 정사각형, 이등변삼각형과 같이 길이가 같은 변이 있는 도형을 이어 붙여 만든 새로운 도형 속에서 변의 길이를 이용하여 각의 크기를 구해 봅니다. 이때 이등변삼각형의 두 각의 크기는 같다는 성질은 문제를 해결하는 핵심이 됩니다. 따라서 문제를 풀 때 먼저 이등변삼각형을 찾을 수 있도록 합니다.

1 정삼각형의 한 각의 크기는 60°이고 정사각형의 한 각의 크기는 90°이므로 ㉡=90°−60°=30°입니다. 변의 길이가 모두 같은 정삼각형과 정사각형을 붙였으므로 색칠한 삼각형은 이등변삼각형입니다.

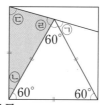

따라서 ㉢=㉣이고 ㉢+㉣=180°−30°=150°이므로

㉢=㉣=150°÷2=75°입니다.

따라서 ㉠=180°−75°−60°=45°입니다.

해결 전략
길이가 같은 변을 이용하여 이등변삼각형을 찾은 후 이등변삼각형의 성질을 이용합니다.

2 삼각형 ㅁㄱㄹ은 이등변삼각형이므로 (변 ㄱㄹ)=(변 ㄱㅁ)이고,

변 ㄱㄹ은 정사각형 ㄱㄴㄷㄹ의 한 변이므로 (변 ㄱㅁ)=(변 ㄱㄴ)입니다.

따라서 삼각형 ㄱㄴㅁ은 이등변삼각형입니다.

이등변삼각형 ㅁㄱㄹ에서 (각 ㄱㅁㄹ)=(각 ㄱㄹㅁ)=70°이므로

(각 ㅁㄱㄹ)=180°−70°−70°=40°입니다.

이등변삼각형 ㄱㄴㅁ에서 (각 ㄴㄱㅁ)=90°+40°=130°이므로

(각 ㄱㅁㄴ)=(180°−130°)÷2=25°입니다.

따라서 (각 ㄹㅁㅂ)=(각 ㄱㅁㄹ)−(각 ㄱㅁㄴ)=70°−25°=45°입니다.

해결 전략
길이가 같은 변을 이용하여 이등변삼각형을 찾은 후 이등변삼각형의 성질을 이용합니다.

최상위 사고력 정삼각형 ㄹㄷㅂ에서 (각 ㄹㄷㅂ)=60°이므로

(각 ㄹㄷㅁ)=180°−60°=120°입니다.

삼각형 ㄹㅁㄷ은 이등변삼각형이므로 (각 ㄷㅁㄹ)=(각 ㄷㄹㅁ)입니다.

(각 ㄷㅁㄹ)+(각 ㄷㄹㅁ)=180°−120°=60°이므로

(각 ㄷㅁㄹ)=(각 ㄷㄹㅁ)=60°÷2=30°입니다.

정사각형 ㄱㄴㄷㄹ에서 (각 ㄱㄹㄷ)=90°이므로

(각 ㅅㄹㄱ)=90°−30°=60°, (각 ㅅㄱㄹ)=90°÷2=45°입니다.

삼각형 ㄱㅅㄹ에서 (각 ㄱㅅㄹ)=180°−45°−60°=75°입니다.

따라서 (각 ㄱㅅㅁ)=180°−75°=105°입니다.

보충 개념
정사각형에서 서로 이웃하지 않는 두 꼭짓점을 선으로 이었을 때 똑같은 크기로 나누어집니다.

6-3. 정삼각형　　　　　　　　　　　　　　　　　　　　　62~63쪽

1 38 cm	**2** 15°	**최상위 사고력** 3 cm

저자 톡! 이 단원에서는 정삼각형의 성질을 이용하여 각의 크기 또는 변의 길이를 구해 봅니다. 정삼각형의 세 변의 길이가 같고, 세 각의 크기가 같다는 성질을 이용하면 정삼각형의 반쪽에 대한 성질도 알 수 있습니다. 문제에서 각의 크기, 변의 길이에 주목하여 정삼각형 또는 정삼각형의 반쪽을 찾아 문제를 해결하도록 합니다.

1

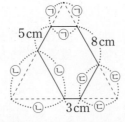

해결 전략
육각형에서 모르는 변의 길이는 잘라진 정삼각형의 한 변의 길이와 같습니다.

잘라진 정삼각형 3개의 한 변의 길이를 각각 ㉠, ㉡, ㉢이라 하면

자르기 전 삼각형의 둘레는 20×3=60(cm)이므로

(㉠+5+㉡)+(㉡+3+㉢)+(㉢+8+㉠)=60,

16+(㉠+㉡+㉢)×2=60, (㉠+㉡+㉢)×2=44,

㉠+㉡+㉢=22(cm)입니다.

따라서 육각형의 둘레는

㉠+㉡+㉢+5+8+3=22+5+8+3=38(cm)입니다.

2 삼각형 ㄱㄴㄷ은 (변 ㄱㄷ)=(변 ㄱㄴ)×2이고 (각 ㄱㄴㄷ)=90°이므로 정삼각형의 반쪽입니다.

해결 전략
먼저 삼각형 ㄱㄴㄷ은 어떤 삼각형인지 알아봅니다.

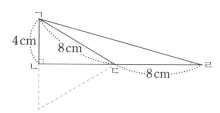

따라서 (각 ㄱㄷㄴ)=60°÷2=30°입니다.

삼각형 ㄱㄷㄹ은 (변 ㄱㄷ)=(변 ㄷㄹ)=8cm이므로 이등변삼각형입니다.

(각 ㄱㄷㄹ)=180°−30°=150°이므로

(각 ㄷㄱㄹ)+(각 ㄷㄹㄱ)=180°−150°=30°,

(각 ㄷㄹㄱ)=30°÷2=15°입니다.

최상위 사고력 변 ㄱㅇ과 변 ㅇㄴ은 원의 반지름이므로

(변 ㄱㅇ)=(변 ㄴㅇ)=12÷2=6(cm)입니다.

따라서 삼각형 ㅇㄱㄴ은 이등변삼각형이므로

(각 ㅇㄱㄴ)=(각 ㅇㄴㄱ)=15°,

(각 ㄱㅇㄴ)=180°−15°−15°=150°입니다.

삼각형 ㄴㅇㄷ에서 (각 ㄴㅇㄷ)=180°−150°=30°,

(각 ㅇㄷㄴ)=90°, (각 ㅇㄴㄷ)=180°−30°−90°=60°이므로

삼각형 ㄴㅇㄷ은 한 변의 길이가 6cm인 정삼각형의 반쪽입니다.

선분 ㄴㄷ의 길이는 정삼각형의 한 변의 길이의 반이므로

6÷2=3(cm)입니다.

해결 전략
원의 성질을 이용하여 삼각형 ㄴㄱㅇ은 어떤 삼각형인지 알아봅니다.

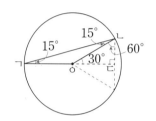

최상위 사고력

64~65쪽

1 45° **2** 72°

3 30° **4** 135°

1

삼각형 ㄱㄴㄷ과 삼각형 ㄷㄹㅁ은 같은 삼각형이므로 (변 ㄱㄷ)=(변 ㄷㅁ)입니다.

따라서 삼각형 ㄱㄷㅁ은 이등변삼각형입니다.

두 삼각자의 직각을 제외한 나머지 두 각의 크기를 각각 ●, ▲라 하면 ●+▲=180°−90°=90°이므로

각 ㄱㄷㅁ의 크기는 180°에서 ▲+●의 크기 90°를 뺀 90°입니다.

이등변삼각형 ㄱㄷㅁ에서 (각 ㅁㄱㄷ)=(각 ㄱㅁㄷ)이고

(각 ㄷㄱㅁ)+(각 ㄷㅁㄱ)=180°−90°=90°,

㉠=(각 ㄷㅁㄱ)=90°÷2=45°입니다.

해결 전략
먼저 삼각형 ㄱㄷㅁ은 어떤 삼각형인지 알아봅니다.

2 (각 ㄴㄱㄷ)＝●라 하면 삼각형 ㄹㄱㄷ은

이등변삼각형이므로 (각 ㄹㄷㄱ)＝●입니다.

(각 ㄷㄹㄴ)＝★이라 하면

(각 ㄱㄹㄷ)＋(각 ㄷㄹㄴ)＝180°이므로

(각 ㄱㄹㄷ)＝180°－★이고 삼각형 ㄱㄹㄷ에서

각 ㄱㄹㄷ의 크기는 180°에서 ●＋●를 뺀 것과

같으므로 ★＝(각 ㄷㄹㄴ)＝●＋●입니다.

삼각형 ㄷㄹㄴ은 이등변삼각형이므로 (각 ㄹㄴㄷ)＝●＋●입니다.

삼각형 ㄱㄴㄷ도 이등변삼각형이므로

(각 ㄱㄷㄴ)＝●＋●이고, (각 ㄹㄷㄴ)＝●입니다.

삼각형 ㄱㄴㄷ의 세 각의 크기의 합은 180°이므로 ●×5＝180°,

●＝36°입니다.

따라서 (각 ㄹㄴㄷ)＝●＋●＝36°＋36°＝72°입니다.

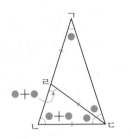

해결 전략
이등변삼각형은 두 각의 크기가 같다는 성질을 이용합니다.

보충 개념
각 ㄴㄹㄷ은 삼각형 ㄱㄹㄷ의 외각이므로
(각 ㄴㄹㄷ)＝(각 ㄹㄱㄷ)＋(각 ㄹㄷㄱ)
＝●＋●입니다.

3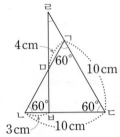

삼각형 ㄱㄴㄷ은 한 변이 10cm인 정삼각형이므로 (선분 ㅁㄴ)＝10－4＝6(cm)입니다.

삼각형 ㅁㄴㅂ에서 (변 ㅁㄴ)＝(변 ㄴㅂ)×2이고 (각 ㅁㄴㅂ)＝60°이므로 정삼각형의 반쪽입니다. ➡ (각 ㄴㅁㅂ)＝30°

(각 ㄱㅁㅂ)＝180°－30°＝150°이므로

(각 ㄹㅁㄱ)＝180°－150°＝30°,

(각 ㄹㄱㅁ)＝180°－60°＝120°이므로

(각 ㄱㄹㅁ)＝180°－120°－30°＝30°입니다.

보충 개념
㉠, ㉡과 같이 서로 마주 보는 두 각을 맞꼭지각이라 합니다. 맞꼭지각의 크기는 서로 같습니다.

4 (변 ㄷㄹ)＝(변 ㄱㄹ)이므로 변 ㄷㄹ과 변 ㄱㄹ을 두 변으로 하는 정사각형 ㅁㄷㄹㄱ을 그린 후 점 ㄴ과 점 ㅁ을 선으로 이어 봅니다.

해결 전략
길이가 같은 변이 있는 정삼각형, 정사각형 또는 이등변삼각형을 만들어 봅니다.

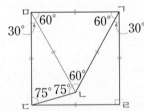

삼각형 ㄱㅁㄴ에서 (변 ㄱㅁ)＝(변 ㄱㄴ)이므로 삼각형 ㄱㅁㄴ은 이등변삼각형입니다.

(각 ㅁㄱㄴ)＝90°－30°＝60°이므로

(각 ㄱㅁㄴ)＋(각 ㄱㄴㅁ)＝180°－60°＝120°입니다.

(각 ㄱㅁㄴ)＝(각 ㄱㄴㅁ)＝120°÷2＝60°이므로

삼각형 ㄱㅁㄴ은 정삼각형입니다.

(각 ㄷㅁㄴ)＝90°－60°＝30°이고 삼각형 ㅁㄷㄴ은 이등변삼각형이므로

(각 ㅁㄷㄴ)＋(각 ㅁㄴㄷ)＝180°－30°＝150°이고

(각 ㅁㄷㄴ)＝150°÷2＝75°입니다.

따라서 (각 ㄱㄷㄴ)＝75°＋60°＝135°입니다.

보충 개념
삼각형 ㄱㄴㅁ은 정삼각형이므로
(변 ㅁㄴ)＝(변 ㅁㄱ)이고
사각형 ㅁㄷㄹㄱ은 정사각형이므로
(변 ㅁㄷ)＝(변 ㅁㄱ)입니다.
따라서 (변 ㅁㄴ)＝(변 ㅁㄷ)입니다.

7-1. 평행선과 크기가 같은 각

1 풀이 참조 　　　　 최상위 사고력 A 18개 　　　　 최상위 사고력 B 45°

저자 톡! 이 단원에서는 평행선과 한 직선이 만날 때 동위각과 엇각의 크기가 같다는 성질을 이용하여 각의 크기를 구해 봅니다. 평행선과 한 직선이 만날 때 엇각의 크기가 같음을 이용하여 삼각형의 세 각의 크기의 합이 180°인 이유를 설명하고, 크기가 같은 정사각형으로 이루어진 도형 안에서 동위각과 엇각의 성질을 이용하여 크기가 같은 각을 찾아봅니다.

1 직선 ㄹㅁ과 선분 ㄴㄷ이 평행하므로 평행선과 한 직선이 만날 때 엇각의 크기가 같음을 이용하면 (각 ㄹㄱㄴ)=(각 ㄱㄴㄷ), (각 ㅁㄱㄷ)=(각 ㄱㄷㄴ)입니다.

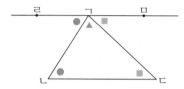

삼각형의 세 각의 크기의 합은 ▲+●+■입니다.
이때 ▲+●+■는 한 직선이 이루는 각이므로 180°입니다.
따라서 삼각형의 세 각의 크기의 합은 ▲+●+■=180°입니다.

해결 전략
평행선과 한 직선이 만날 때 엇각의 크기가 같음을 이용합니다.

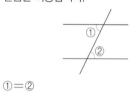

①=②

최상위 사고력 A 한 직선과 만나는 평행선에서 동위각과 엇각의 크기는 각각 같다는 성질과 맞꼭지각의 성질을 이용합니다.

① 직선 다와 만나는 직선 마, 직선 바, 직선 아가 서로 평행하므로 (각 ㉠)=(각 ㉡)=(각 ㉢)입니다.

② 직선 마와 만나는 직선 가, 직선 다, 직선 라가 서로 평행하므로 (각 ㉠)=(각 ㉣)=(각 ㉤)입니다. 또한 직선 바, 직선 아와 만나는 직선 가, 직선 다, 직선 라가 서로 평행하므로 (각 ㉡)=(각 ㉥)=(각 ㉦)이고, (각 ㉢)=(각 ㉧)=(각 ㉨)입니다.

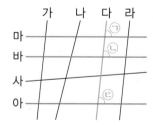

③ 한 직선과 만나는 평행선에서 엇각의 크기는 서로 같으므로 (각 ㉥)=(각 ⓐ), (각 ㉡)=(각 ⓑ), (각 ㉦)=(각 ⓒ), (각 ㉧)=(각 ⓓ), (각 ㉢)=(각 ⓔ), (각 ㉨)=(각 ⓕ)입니다.

④ 두 직선과 만나서 생기는 서로 마주 보는 각의 크기는 서로 같으므로 (각 ㉧)=(각 ⓖ), (각 ㉢)=(각 ⓗ), (각 ㉨)=(각 ⓘ)입니다.

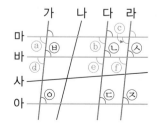

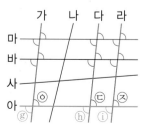

따라서 크기가 ㉠과 같은 각은 모두 3+6+6+3=18(개)입니다.

최상위 사고력 B 크기가 같은 직각삼각형을 이용하여 ㉠, ㉡, ㉢, ㉣, ㉤과 크기가 같은 각을 표시하면 다음과 같습니다.

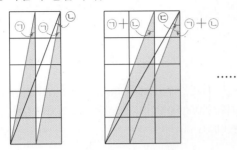

......

따라서 ㉠+㉡+㉢+㉣+㉤은 한 각이 직각인 이등변삼각형에서 직각이 아닌 한 각의 크기이므로 $180° - 90° = 90°$, $90° \div 2 = 45°$입니다.

> **다른 풀이**
>
> 엇각의 성질을 이용하여 ㉠과 크기가 같은 각을 표시하면 다음과 같습니다.
>
>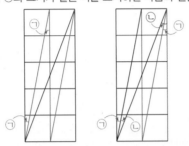
>
> 같은 방법으로 ㉠+㉡, ㉠+㉡+㉢, ㉠+㉡+㉢+㉣과 크기가 같은 각을 찾아봅니다.

> **해결 전략**
>
> ㉠, ㉡, ㉢, ㉣, ㉤과 크기가 같은 각을 각각 찾아봅니다.

> **보충 개념**
>
> ㉠, ㉡, ㉢, ㉣, ㉤의 크기를 각각 구하지 않도록 주의합니다.
>
>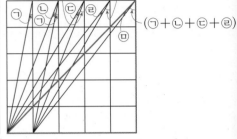

7-2. 평행선 이용하기

1 $80°, 60°$ 　　　　　**2** $180°$ 　　　　　**최상위 사고력** $360°$

저자 톡! 이 단원에서는 평행선과 여러 선이 복잡하게 놓인 도형에서 주어진 각의 크기 또는 각의 크기의 합을 구해 봅니다. 앞에서 학습한 평행선과 한 직선이 만날 때 생기는 동위각, 엇각의 성질, 삼각형의 세 각의 크기의 합과 사각형의 네 각의 크기의 합을 알고 있어야 문제를 해결할 수 있습니다. 평행선이 어디에 어떻게 놓여 있는지 주의하며 평행선이 직선과 이루는 각 중 크기가 같은 각을 이용하여 문제를 해결해 보도록 합니다.

1 (각 ㄹㅂㄷ)$=180° - 150° = 30°$

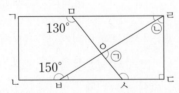

각 ㅁㄹㅂ과 각 ㄹㅂㄷ은 엇각이고 변 ㄱㄹ과 변 ㄴㄷ은 평행하므로
(각 ㅁㄹㅂ)$=30°$입니다.
각 ㅇㅅㄷ과 각 ㄱㅁㅇ은 엇각이고 변 ㄱㄹ과 변 ㄴㄷ은 평행하므로
(각 ㅇㅅㄷ)$=130°$입니다.
각 ㅁㄹㄷ은 직각이므로 ㉡$=90° - 30° = 60°$이고,
사각형 ㄹㅇㅅㄷ에서 사각형의 네 각의 크기의 합이 $360°$이므로
㉠$=360° - 60° - 130° - 90° = 80°$입니다.

> **해결 전략**
>
> ㉠과 ㉡은 사각형 ㄹㅇㅅㄷ의 각입니다.

> **보충 개념**
>
> 평행선과 한직선이 만날 때 생기는 엇각의 크기는 같습니다.

최상위 사고력 4B **50**

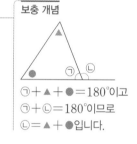

평행선과 한 직선이 만날 때 안쪽에 생기는 두 각의 크기의 합은 $180°$이므로 ㅁ+ㅂ$=180°$입니다.

평행선 사이에 있는 2개의 삼각형의 세 각의 크기의 합은

(ㄱ+ㄴ+ㅁ)+(ㄷ+ㄹ+ㅂ)$=180°+180°=360°$이므로

ㄱ+ㄴ+ㄷ+ㄹ$=$(ㄱ+ㄴ+ㄷ+ㄹ+ㅁ+ㅂ)$-$(ㅁ+ㅂ)

　　　　　　$=360°-180°=180°$입니다.

해결 전략
평행선과 한 직선이 만날 때 안쪽에 생기는 각의 성질과 삼각형의 세 각의 크기의 합을 이용합니다.

최상위 사고력 다음과 같은 순서로 ㄱ+ㄴ+ㄷ+ㄹ+ㅁ을 구합니다.

① 크기가 ㄹ인 각의 엇각을 찾아 표시합니다.

➡ 평행선과 한 직선이 만날 때 생기는 엇각의 크기는 같으므로 (각 ㅁㅂㅅ)$=$ㄹ입니다.

② 삼각형 ㅁㅂㅅ의 두 각의 크기인 ㄹ과 ㅁ을 이용하여 삼각형의 한 외각의 크기를 ㄹ+ㅁ으로 표시합니다.

③ ②에서 표시한 외각의 동위각을 찾아 크기를 표시합니다.

평행선과 한 직선이 만날 때 생기는 동위각의 크기는 같으므로 (각 ㄴㄷㄹ)$=$ㄹ+ㅁ입니다.

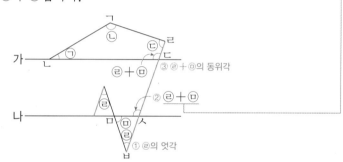

따라서 사각형의 네 각의 크기의 합은 $360°$이므로

ㄱ+ㄴ+ㄷ+ㄹ+ㅁ$=360°$입니다.

해결 전략
평행선과 한 직선이 만날 때 안쪽에 생기는 동위각과 엇각의 크기가 각각 같음을 이용합니다.

주의
ㄱ, ㄴ, ㄷ, ㄹ, ㅁ의 크기를 각각 구하지 않도록 주의합니다.

보충 개념

ㄱ+▲+●$=180°$이고
ㄱ+ㄴ$=180°$이므로
ㄴ$=$▲+●입니다.

7-3. 보조선 긋기

1 $105°$　　　　**2** $108°$　　　　**최상위 사고력** $80°$

저자 톡! 이 단원에서는 주어진 평행선만으로는 각의 크기를 구할 수 없는 도형을 다룹니다. 이러한 상황에서는 주어진 평행선과 평행하거나 수직으로 만나는 새로운 보조선을 그어 문제를 해결해야 합니다. 이렇게 문제에 스스로 보조선을 추가하여 알 수 없는 각의 크기를 구해 봅니다.

1 직선 가, 나와 평행하고 평행선 사이에 있는 선의 꺾인 부분을 지나도록
선 1개를 긋습니다.

해결 전략
평행선을 그어 평행선과 한 직선이 만날 때
생기는 동위각, 엇각의 성질을 이용합니다.

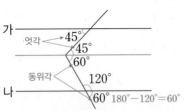

따라서 ㉠=45°+60°=105°입니다.

2 직선 가, 나와 평행하고 크기가 ㉡인 각의 꼭짓점을 지나는 직선을 그으
면 평행선과 한 직선이 만날 때 생기는 동위각의 크기는 같으므로 ㉠, ㉢
과 크기가 같은 각을 표시합니다.

해결 전략
평행선을 그어 평행선과 한 직선이 만날 때
생기는 동위각의 성질을 이용합니다.

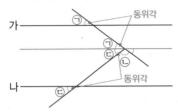

한 직선이 이루는 각은 180°이므로 ㉠+㉢+㉡=180°입니다.
이때 ㉠과 ㉢의 크기가 같고, ㉡의 크기는 ㉠의 크기의 3배이므로
㉠+㉢+㉡=㉠+㉠+㉠×3=㉠×5이고,
㉠×5=180°, ㉠=36°입니다.
따라서 ㉡=36°×3=108°입니다.

**최상위
사고력** 직선 가, 나와 평행하고 평행선 사이에 있는 선의 꺾인 부분을 지나도록
직선을 긋습니다.

해결 전략
평행선을 그어 평행선과 한 직선이 만날 때
생기는 엇각의 성질을 이용합니다.

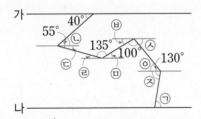

평행선과 한 직선이 만날 때 생기는 엇각의 크기는 같으므로 ㉡~㉏의
순서로 각의 크기를 구하면
㉡=40°, ㉢=55°-40°=15°
㉣=㉢=15°, ㉤=180°-15°-135°=30°
㉥=㉤=30°, ㉦=180°-30°-100°=50°
㉧=㉦=50°, ㉨=130°-50°=80°
따라서 ㉠=80°입니다.

평행선 가, 나와 수직이고, 평행선 사이의 여러 선 중 꺾인 부분을 지나도록 직선 2개를 긋습니다.

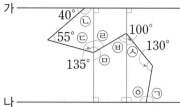

직선 가와 나에 수직인 직선을 그어 ㉠의 크기를 구합니다.

사각형의 네 각의 크기의 합이 360°임을 이용하여 ㉡~㉼의 순서로 각의 크기를 구하면
㉡=180°−40°=140°, ㉢=360°−90°−140°−55°=75°
㉣=135°−75°=60°, ㉤=180°−60°=120°
㉥=360°−120°−90°−90°=60°, ㉦=100°−60°=40°
㉼=360°−40°−90°−130°=100°
따라서 ㉠=180°−100°=80°입니다.

최상위 사고력

72~73쪽

1 180°   2 50°

3 180°   4 48°

---

1 평행선과 한 직선이 만날 때 생기는 엇각의 크기는 같으므로 ㉡과 ㉤의 엇각을 찾아 표시합니다.

평행선과 한 직선이 만날 때 생기는 엇각의 크기가 같음을 이용합니다.

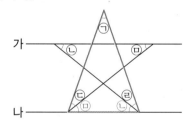

㉠+㉡+㉢+㉣+㉤은 삼각형의 세 각의 크기의 합과 같으므로 180°입니다.

2

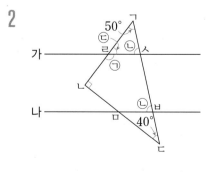

평행선과 한 직선이 만날 때 생기는 동위각의 크기는 같으므로
(각 ㄱㅅㄹ)=㉡입니다.
삼각형 ㄱㄴㄷ에서 (각 ㄴㄱㄷ)
=180°−90°−40°=50°입니다.
삼각형 ㄱㄹㅅ에서 50°+㉡+㉢
=180°이고 한 직선이 이루는 각은

평행선과 한 직선이 만날 때 생기는 동위각의 성질을 이용하여 크기가 ㉡인 각을 찾습니다.

180°이므로 ㉠+㉢=180°입니다.
➡ ㉠=50°+㉡, ㉠−㉡=50°
따라서 ㉠과 ㉡의 크기의 차는 50°입니다.

3 다음과 같은 순서로 ㉠＋㉡＋㉢＋㉣을 구해 봅니다.

해결 전략
평행선을 그어 평행선과 한 직선이 만날 때 생기는 동위각의 성질을 이용합니다.

① 직선 가, 나와 평행하고 크기가 ㉡과 ㉢인 각의 꼭짓점을 지나는 직선 2개를 긋습니다.

② 평행선과 한 직선이 만날 때 생기는 동위각의 크기는 같으므로 크기가 ㉠인 각의 동위각을 찾아 표시한 다음 크기가 ㉠＋㉡인 각의 동위각을 찾아 표시합니다.

③ 크기가 ㉣인 각의 동위각을 찾아 표시하면

㉣＋㉢＋(㉠＋㉡)=180°이므로 ㉠＋㉡＋㉢＋㉣=180°입니다.

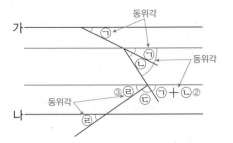

4 평행선과 한 직선이 만날 때 생기는 엇각의 성질과 거울의 반사의 법칙을 이용하여 다음과 같은 순서로 ㉡~㉧을 구해 봅니다.

해결 전략
먼저 입사각을 구해 봅니다.

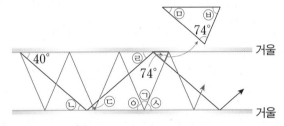

① 평행한 두 거울과 만나는 선에 의해 ㉡은 40°인 각의 엇각이므로

㉡=40°, 입사각과 반사각의 크기는 같으므로 ㉢=40°입니다.

② 크기가 ㉢인 각과 ㉣인 각은 엇각이므로 ㉣=㉢=40°이고, 입사각과 반사각의 크기는 같으므로 ㉤=40°입니다.

③ 삼각형의 세 각의 크기의 합은 180°이므로 ㉥=180°-40°-74°=66°입니다.

④ 크기가 ㉥인 각과 ㉦인 각은 엇각이므로 ㉦=㉥=66°이고, 입사각과 반사각이 같으므로 ㉧=66°입니다.

따라서 한 직선이 이루는 각은 180°이므로 66°+㉠+66°=180°, ㉠=180°-66°-66°=48°입니다.

최상위 사고력 **8** **다각형과 각도**

8-1. 평행사변형과 사다리꼴

74~75쪽

1 풀이 참조	**2** 12°	최상위 사고력 110°

저자 톡 이 단원에서는 평행사변형과 사다리꼴의 성질을 이용하여 주어진 각의 크기를 구합니다. 평행사변형의 성질인 '마주 보는 각의 크기가 같다.', '이웃한 두 각의 크기의 합은 180°이다.'등을 문제를 해결하는데 이용합니다. 또한 두 도형 모두 평행한 변이 있는 도형이기 때문에 앞에서 학습한 평행선과 한 직선이 만날 때 생기는 동위각과 엇각의 성질을 이용하여 각의 크기를 구해 봅니다.

1 **예** 각 ㄱㄴㄷ과 각 ㄹㄷㅁ은 동위각이고 변 ㄱㄹ과 변 ㄴㄷ은 평행하므로 크기가 같습니다.

각 ㄹㄷㅁ과 각 ㄱㄹㄷ은 엇각이고 변 ㄱㄹ과 변 ㄴㄷ은 평행하므로 크기가 같습니다.

따라서 각 ㄱㄴㄷ과 각 ㄱㄹㄷ은 크기가 같습니다.

해결 전략
평행사변형은 마주 보는 두 변이 서로 평행하므로 평행선과 한 직선이 만날 때 생기는 동위각과 엇각의 크기가 각각 같음을 이용합니다.

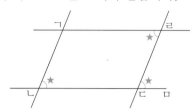

2 각 ㄱㄹㄷ과 각 ㄹㄷㅁ은 엇각이고 변 ㄱㄹ과 변 ㄴㄷ은 평행하므로 엇각의 크기는 서로 같습니다. (각 ㄹㄷㅁ)=(각 ㄱㄹㄷ)=$140°$이고, (각 ㄹㄷㄴ)=$180°-140°=40°$입니다.

삼각형 ㅂㄴㄷ의 세 각의 크기의 합은 $180°$이므로 ㉠=$180°-128°-40°=12°$입니다.

해결 전략
사다리꼴은 평행한 변이 한 쌍이라도 있는 사각형이므로 평행선과 한 직선이 만날 때 생기는 동위각과 엇각의 크기가 각각 같음을 이용합니다.

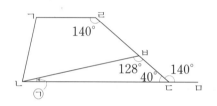

최상위 사고력 평행사변형 ㄱㄴㄷㄹ에서 이웃한 각의 크기의 합은 $180°$이므로 (각 ㅂㄱㅁ)=$180°-80°=100°$이고, 삼각형 ㄱㅂㅁ의 세 각의 크기의 합은 $180°$이므로 (각 ㄱㅁㅂ)=$180°-100°-25°=55°$입니다.

평행사변형에서 마주 보는 각의 크기가 같으므로 (각 ㅁㄹㅇ)=$80°$이고, 삼각형 ㅁㅇㄹ의 세 각의 크기의 합은 $180°$이므로 (각 ㄹㅁㅇ)=$180°-80°-85°=15°$입니다.

(각 ㅂㅁㅇ)=$180°-55°-15°=110°$이고, 평행사변형 ㅁㅂㅅㅇ에서 마주 보는 각의 크기가 같으므로 (각 ㅂㅅㅇ)=$110°$입니다.

해결 전략
평행사변형은 마주 보는 각의 크기가 같고, 이웃한 각의 크기의 합은 $180°$입니다.

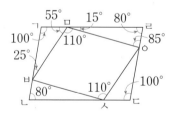

8-2. 마름모   76~77쪽

1 $36°$, $72°$ **2** $25°$ **최상위 사고력** $108°$

저자 톡! 이 단원에서는 평행사변형의 성질을 모두 가지고 있을 뿐 아니라 네 변의 길이까지 모두 같은 마름모에서 각의 크기를 구합니다. 또한 마름모를 한 대각선으로 반으로 나누면 이등변삼각형이 되므로 이등변삼각형의 각의 성질을 이용하여 각의 크기를 구해 봅니다.

1 마름모 10개를 겹치지 않게 이어 붙인 모양을 선을 그어 나타냅니다.

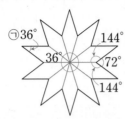

마름모에서 마주 보는 각의 크기는 서로 같고, 주어진 도형은 크기가 같은 각 10개가 모여 360°를 이루므로 ㉠×10＝360°, ㉠＝36°입니다.
마름모의 이웃한 각의 크기의 합은 180°이므로 36°인 각과 이웃한 각의 크기는 180°－36°＝144°입니다.
따라서 ㉡＝360°－144°－144°＝72°입니다.

2 정사각형과 마름모는 네 변의 길이가 모두 같으므로 (변 ㄴㄷ)＝(변 ㄷㅁ)입니다. 따라서 삼각형 ㅁㄴㄷ은 이등변삼각형입니다.

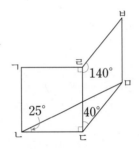

정사각형의 한 각의 크기는 90°이므로 (각 ㄹㄷㄴ)＝90°이고, 마름모의 이웃한 각의 크기의 합은 180°이므로 (각 ㄹㄷㅁ)＝40°입니다. 따라서 이등변삼각형 ㅁㄴㄷ에서 (각 ㄷㄴㅁ)＋(각 ㄷㅁㄴ)
＝180°－130°＝50°, (각 ㄷㅁㄴ)＝50°÷2＝25°입니다.

최상위 사고력 마름모에 대각선을 그으면 대각선에 의해 각은 이등분됩니다.
각 ㄱㄴㄹ의 크기를 ●라 하면
(각 ㄱㄴㄹ)＝(각 ㄷㄴㄹ)＝(각 ㄱㄹㄴ)＝(각 ㄷㄹㄴ)＝●입니다.
(선분 ㄱㄴ)＝(선분 ㄱㅁ)이므로 삼각형 ㄱㄴㅁ은 이등변삼각형입니다.
이등변삼각형의 두 밑각의 크기는 같으므로
(각 ㄱㅁㄴ)＝(각 ㄱㄴㅁ)＝●＋●입니다.
맞꼭지각의 크기는 같으므로 (각 ㄴㅂㅁ)＝(각 ㄱㅂㄹ)＝72°입니다.
삼각형 ㅂㄴㅁ에서 72°＋●＋●＋●＝180°, ●＋●＋●＝108°,
●＝36°입니다.
삼각형 ㄴㄷㄹ에서 (각 ㄷㄴㄹ)＝(각 ㄷㄹㄴ)＝36°이므로
(각 ㄴㄷㄹ)＝180°－36°－36°＝108°입니다.

해결 전략
마름모의 한 각의 크기를 알면 나머지 각의 크기도 모두 알 수 있으므로 먼저 마름모의 한 각의 크기를 구해 봅니다.

해결 전략
정사각형과 마름모의 성질을 이용합니다.

해결 전략
먼저 이등변삼각형 ㄴㄷㄹ에서 각 ㄹㄴㄷ의 크기를 구해 봅니다.

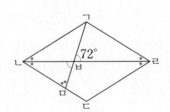

1 66°   **2** 90°, 120°, 30°   최상위 사고력 72°

저자 톡! 이 단원에서는 모든 변의 길이가 같고, 모든 각의 크기가 같은 정다각형에서 각의 크기를 구합니다. 정다각형의 '모든 변의 길이가 같다.'는 성질을 통해 앞에서 배운 이등변삼각형의 각의 성질을 적용할 수 있고, '모든 각의 크기가 같다.'는 성질을 이용하여 정다각형의 한 각의 크기를 구해 문제를 해결해 봅니다.

1 정오각형과 정삼각형의 한 변의 길이가 같으므로 변 ㅂㄹ과 변 ㄷㄹ의 길이가 같습니다.
따라서 삼각형 ㅂㄷㄹ은 이등변삼각형입니다.
정오각형의 한 각의 크기는 108°이고 정삼각형의 한 각의 크기는 60°이므로
(각 ㅂㄹㄷ)=108°−60°=48°입니다.
따라서 이등변삼각형 ㄹㅂㄷ에서
(각 ㄹㅂㄷ)+(각 ㄹㄷㅂ)=180°−48°=132°,
(각 ㄹㄷㅂ)=132°÷2=66°입니다.

해결 전략
길이가 같은 변을 모두 찾아봅니다.

보충 개념
정다각형의 한 각의 크기는 다각형을 삼각형으로 나누어 구할 수 있습니다.
• 정오각형

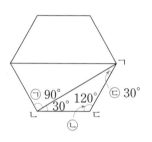

다섯 각의 합:
180°×3=540°
한 각의 크기:
540°÷5=108°

• 정육각형

여섯 각의 합:
180°×4=720°
한 각의 크기:
720°÷6=120°

2 정육각형의 한 각의 크기는 120°이므로 ⓛ=120°입니다.
정육각형의 변의 길이는 모두 같으므로 삼각형 ㄱㄴㄷ은 이등변삼각형입니다. 따라서 ⓒ의 크기를 구하면 180°−120°=60°,
60°÷2=30°입니다.
정육각형의 한 각의 크기는 120°이고 (각 ㄱㄴㄷ)=ⓒ=30°이므로
㉠=120°−30°=90°입니다.

최상위 사고력 정오각형의 변의 길이는 모두 같으므로 삼각형 ㄱㄴㅁ은 이등변삼각형이고 정오각형의 한 각의 크기가 108°이므로 (각 ㄴㄱㅁ)=108°입니다. 따라서 이등변삼각형 ㄱㄴㅁ에서
(각 ㄱㄴㅁ)+(각 ㄱㅁㄴ)=180°−108°=72°,
(각 ㄱㄴㅁ)=(각 ㄱㅁㄴ)=72°÷2=36°입니다.
같은 방법으로 이등변삼각형 ㄱㄹㅁ에서 (각 ㅁㄱㄹ)=36°입니다.
(각 ㄴㄱㅂ)=108°−36°=72°이므로
삼각형 ㄱㄴㅂ에서 ㉠=180°−72°−36°=72°입니다.

해결 전략
이등변삼각형을 찾아봅니다.

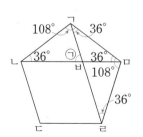

1 140°

2 120°

3 56°

4 160°

---

1 삼각형 ㄱㅂㅁ에서 (각 ㄱㅁㅂ)=180°−90°−80°=10°이고, 삼각형 ㅁㅇㄹ에서 (각 ㄹㅁㅇ)=180°−90°−60°=30°입니다.
평행사변형 ㅁㅂㅅㅇ에서 (각 ㅂㅁㅇ)=180°−10°−30°=140°이고, 평행사변형의 마주 보는 각의 크기는 같으므로
㉠=(각 ㅂㅁㅇ)=140°입니다.

해결 전략
평행사변형에서 마주 보는 각의 크기는 같음을 이용합니다.

2 정육각형의 변의 길이는 모두 같으므로 삼각형 ㄱㄴㅂ은 이등변삼각형입니다. 또한 정육각형의 한 각의 크기가 120°이므로
(각 ㄴㄱㅂ)=120°입니다. 따라서 이등변삼각형 ㄱㄴㅂ에서
(각 ㄱㄴㄷ)+(각 ㄱㅂㄴ)=180°−120°=60°,
(각 ㄱㅂㄴ)=60°÷2=30°입니다.
같은 방법으로 이등변삼각형 ㅂㄱㅁ에서 (각 ㅂㄱㅁ)=30°입니다.
삼각형 ㄱㅅㅂ에서 (각 ㄱㅅㅂ)=180°−30°−30°=120°입니다.
㉠은 각 ㄱㅅㅂ의 맞꼭지각이므로 ㉠=120°입니다.

해결 전략
이등변삼각형을 찾아봅니다.

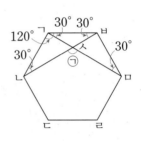

3 마름모는 변의 길이가 모두 같고 평행사변형은 마주 보는 변의 길이가 같으므로 (변 ㄱㄴ)=(변 ㄴㄷ)=(변 ㄷㄹ)=(변 ㄹㄱ)=(변 ㄹㅁ)입니다.

해결 전략
마름모와 평행사변형의 여러 가지 성질을 이용합니다.

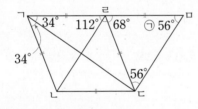

마름모의 대각선은 각을 이등분하므로
(각 ㄹㄱㄴ)=34°×2=68°이고,
마름모의 이웃한 각의 크기의 합은 180°이므로
(각 ㄱㄹㄷ)=180°−68°=112°입니다.
삼각형 ㄹㄷㅁ은 (변 ㄹㅁ)=(변 ㄹㄷ)인 이등변삼각형이고
(각 ㅁㄹㄷ)=180°−112°=68°이므로
㉠의 크기를 구하면 180°−68°=112°,
㉠=112°÷2=56°입니다.

4

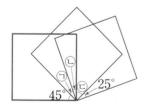

삼각형 ㄱㄴㄷ에서 (각 ㄴㄷㄱ)＝180°−140°−20°＝20°입니다.

마름모 ㅁㄱㄷㄹ에서 (각 ㅁㄱㄷ)＝180°−140°＝40°이고

마름모에서 마주 보는 각의 크기가 같으므로 (각 ㅁㄹㄷ)＝40°입니다.

또 마름모의 이웃한 각의 크기의 합은 180°이므로

(각 ㄱㄷㄹ)＝180°−40°＝140°입니다.

(각 ㄹㄷㅂ)＝180°−20°−140°＝20°입니다.

사각형 ㄹㄷㅂㅅ은 사다리꼴이므로 변 ㄹㅅ과 변 ㄷㅂ은 평행하고

한 직선과 만나는 평행선에서 안쪽에 생기는 두 각의 크기의 합은 180°

이므로 (각 ㅅㄹㄷ)＋(각 ㄹㄷㅂ)＝180°

(각 ㅅㄹㄷ)＋20°＝180°, (각 ㅅㄹㄷ)＝160°입니다.

따라서 ㉠＝360°−40°−160°＝160°입니다.

해결 전략
마름모의 성질, 평행선과 한 직선이 만났을
때 생기는 엇각의 성질을 이용합니다.

---

^{최상위 사고력} **9 도형의 이동과 각도**

9-1. 겹쳐진 도형

82~83쪽

1 25°, 20°, 45° **2** 156° ^{최상위 사고력} 30°

> **저자 톡!** 이 단원에서는 모양과 크기가 같은 도형이 여러 개 겹쳐진 도형에서 각의 크기를 구합니다. 문제를 해결할 때 모양과 크기가 같은 도형은 대응하는 변의 길이와 각의 크기가 같다는 것과 정사각형, 마름모, 직각삼각형의 각의 크기에 대한 성질을 이용하여 주어진 각의 크기를 구해 봅니다.

1 정사각형의 한 각의 크기는 90°임을 이용하여 왼쪽 사각형부터 차례로 살펴봅니다.

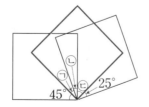

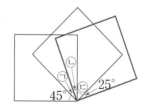

① 왼쪽 정사각형에서
45°＋㉠＋㉡＝90°,
㉠＋㉡＝45°입니다.

② 가운데 정사각형에서
㉠＋㉡＋㉢＝90°입니다.
㉠＋㉡＝45°이므로
45°＋㉢＝90°, ㉢＝45°입니다.

③ 오른쪽 정사각형에서
㉡＋㉢＋25°＝90°입니다.
㉡＋㉢＝65°이고, ㉢＝45°이므로
㉡＋45°＝65°, ㉡＝20°입니다.

④ ①, ③에서 ㉠＋㉡＝45°이고 ㉡＝20°이므로 ㉠＋20°＝45°, ㉠＝25°입니다.

따라서 ㉠＝25°, ㉡＝20°, ㉢＝45°입니다.

59 정답과 풀이

2 마름모에서 한 각의 크기는 62°이므로 이웃한 각의 크기는 118°입니다. 모양과 크기가 같은 마름모이므로 색칠된 오각형에서 ㉠을 제외한 나머지 각의 크기를 구할 수 있습니다.

해결 전략
마름모에서 이웃한 두 각의 합은 180°이므로 한 각의 크기를 이용하여 나머지 각의 크기도 구해 봅니다.

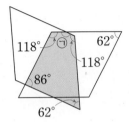

오각형의 다섯 각의 합은 540°이므로
㉠=540°−(118°+86°+62°+118°)=540°−384°=156°입니다.

최상위 사고력 삼각형 ㄱㄴㄷ과 삼각형 ㅁㄹㄷ은 같은 삼각형이므로
(변 ㄴㄷ)=(변 ㄹㄷ)입니다.
(각 ㄱㄴㄷ)=●라 하면 삼각형 ㄹㄴㄷ은 이등변삼각형이므로
(각 ㄷㄹㄴ)=(각 ㄷㄴㄹ)=●입니다.
삼각형 ㄱㄴㄷ과 삼각형 ㅁㄹㄷ은 같은 삼각형이므로
(각 ㄱㄴㄷ)=(각 ㅁㄹㄷ)=●입니다.
변 ㄹㅁ과 변 ㄴㄷ은 평행하고 한 직선과 만나는 평행선에서 동위각의 크기는 서로 같으므로 (각 ㄱㄴㄷ)=(각 ㄱㄹㅁ)=●입니다.
한 직선이 이루는 각은 180°이므로 ●×3=180°, ●=60°입니다.
따라서 삼각형 ㅁㄹㄷ에서 (각 ㄹㅁㄷ)=180°−90°−60°=30°입니다.

해결 전략
(각 ㄱㄴㄷ)=●라 하여 알 수 있는 각의 크기를 나타냅니다.

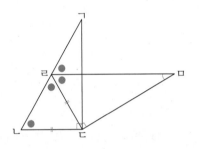

9-2. 회전하는 도형

84~85쪽

1 100°   **2** 70°   **최상위 사고력** (1) 40° (2) 20° (3) 60°

저자 톡! 이 단원에서는 도형을 한 꼭짓점을 중심으로 일정한 각도만큼 회전하였을 때 회전한 도형과 처음 도형의 관계를 파악하여 각의 크기를 구합니다. 회전한 도형은 처음 도형과 모양과 크기가 같은 도형이므로 겹쳐진 도형에서 도형의 성질을 그대로 이용하여 문제를 해결할 수 있습니다.

1

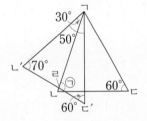

해결 전략
30°만큼 회전하였으므로 (각 ㄴㄱㄴ')=30°입니다.

삼각형 ㄱㄴ'ㄷ'은 삼각형 ㄱㄴㄷ을 점 ㄱ을 중심으로 시계 방향으로 30°만큼 회전시킨 것이므로 (각 ㄴ'ㄱㄴ)=(각 ㄷ'ㄱㄷ)=30°입니다.
삼각형 ㄱㄴ'ㄷ'은 삼각형 ㄱㄴㄷ과 같은 삼각형이므로
(각 ㄴ'ㄷ'ㄱ)=(각 ㄴㄷㄱ)=60°이고, 삼각형 ㄱㄴ'ㄷ에서

(각 ㄴ′ㄱㄷ′)＝180°－70°－60°＝50°입니다.

따라서 (각 ㄴㄱㄷ′)＝50°－30°＝20°이고, 삼각형 ㄱㄹㄷ′에서

㉠＝180°－20°－60°＝100°입니다.

2 사각형 ㄱㄴㄷㄹ을 점 ㄷ을 중심으로 20°만큼 회전한 것이므로

(각 ㄴㄷㄴ′)＝(각 ㄹㄷㄹ′)＝20°입니다.

사각형 ㄱㄴㄷㄹ과 사각형 ㄱ′ㄴ′ㄷㄹ′은 같은 사각형이므로

(변 ㄴㄷ)＝(변 ㄴ′ㄷ)입니다.

따라서 삼각형 ㄴㄴ′ㄷ은 이등변삼각형이므로

(각 ㄷㄴㄴ′)＋(각 ㄷㄴ′ㄴ)＝180°－20°＝160°,

(각 ㄴㄴ′ㄷ)＝160°÷2＝80°이고

(각 ㄱㄴㄷ)＝(각 ㄴㄴ′ㄷ)＝80°입니다.

사각형 ㄱㄴㄷㄹ에서

(각 ㄴㄷㄹ)＝360°－100°－80°－90°＝90°이므로

㉠＝90°－20°＝70°입니다.

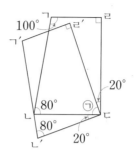

해결 전략
20°만큼 회전하였으므로 (각 ㄴㄷㄴ′)＝20°
입니다.

최상위 사고력 (1) 이등변삼각형 ㄱㄴㄷ에서 (각 ㄱㄷㄴ)＝20°이므로

(각 ㄷㄱㄴ)＋(각 ㄷㄴㄱ)＝180°－20°＝160°,

(각 ㄷㄱㄴ)＝(각 ㄷㄴㄱ)＝160°÷2＝80°입니다.

삼각형 ㄱㄴㄷ을 20°씩 두 번 회전하면 삼각형 ㅂㄴㅅ이 되므로

(각 ㅂㄴㄷ)＝(각 ㄱㄴㄷ)－20°－20°＝80°－40°＝40°입니다.

(2) 삼각형 ㄹㄴㅁ은 삼각형 ㄱㄴㄷ을 20° 회전한 것이므로,

각 ㄷㄴㅁ은 20°입니다.

(3) 삼각형 ㅂㄴㅅ은 삼각형 ㄱㄴㄷ과 같은 삼각형이므로

(각 ㅂㄴㅅ)＝20°입니다.

삼각형 ㅂㄴㅅ은 삼각형 ㄹㄴㅁ을 20°만큼 회전한 것이므로

(각 ㅁㄴㅅ)＝20°입니다.

(변 ㄴㅁ)＝(변 ㄴㅅ)이므로 삼각형 ㄴㅅㅁ은 이등변삼각형이고

(각 ㄴㅅㅁ)＋(각 ㄴㅁㅅ)＝180°－20°＝160°,

(각 ㄴㅅㅁ)＝160°÷2＝80°입니다.

따라서 (각 ㅂㅅㅁ)＝80°－20°＝60°입니다.

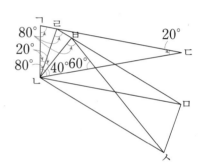

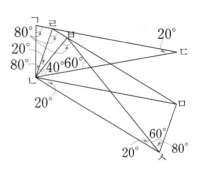

9-3. 접힌 도형

page-ref86~87쪽

1 이등변삼각형　　　　　　　**2** 65°　　　　　　**최상위 사고력** 60°

저자 톡! 이 단원에서는 종이를 접었을 때의 각의 크기를 구합니다. 이 때 중요한 것은 접기 전 부분의 각의 크기와 접힌 부분의 각의 크기가 같다는 것입니다. 평행한 변이 있는 도형을 접었을 때는 평행선과 한 직선이 만났을 때 생기는 동위각과 엇각의 성질을 이용하여 문제를 해결할 수 있습니다. 또한 처음 도형이 무엇인지에 따라 이등변삼각형의 성질, 평행사변형의 성질 등 도형의 성질을 이용할 수도 있습니다. 여러 가지 성질을 함께 이용하여 문제에서 주어진 각의 크기를 구해 봅니다.

61 정답과 풀이

1 종이를 한 번 접으면 접기 전 부분과 접힌 부분의 각의 크기가 같으므로
(각 ㄱㄴㄷ)=(각 ㄷㄴㅁ)입니다.
직사각형의 마주 보는 변은 서로 평행하고,
한 직선과 만나는 평행선에서 엇각의 크기는 서로 같으므로
(각 ㄱㄷㄴ)=(각 ㄷㄴㅁ)입니다.
따라서 삼각형 ㄱㄴㄷ은 두 각이 같으므로 이등변삼각형입니다.

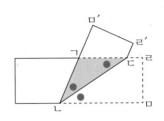

^{최상위}
^{사고력}
A 접기 전 부분과 접힌 부분의 각의 크기는 같으므로
(각 ㄴㅂㅁ)=50°입니다.
(각 ㄴ′ㅂㄷ)=180°−50°−50°=80°이고, 사각형 ㄱㄴㄷㄹ은 평행
사변형이므로 변 ㄱㄹ과 변 ㄴㄷ이 평행합니다. 한 직선과 만나는 평행
선에서 엇각의 크기가 서로 같으므로 (각 ㄱㄴ′ㅂ)=(각 ㄴ′ㅂㄷ)=80°
입니다.
(각 ㅁㄴ′ㅂ)=80°−15°=65°이고, 삼각형 ㄴ′ㅁㅂ에서
(각 ㄴ′ㅁㅂ)=180°−65°−50°=65°입니다.

해결 전략
접기 전의 각과 접힌 부분의 각의 크기가 같
음을 이용하여 크기가 같은 각을 표시해 봅
니다.

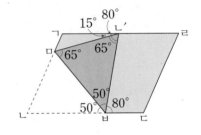

^{최상위}
^{사고력}
B 삼각형 ㄱㄴㅇ과 삼각형 ㅇ′ㄴㄱ은 모양과 크기가 같은 직각삼각형입니
다.
따라서 (변 ㅇ′ㄴ)=(변 ㄴㅇ)입니다.
원에서 반지름의 길이는 모두 같으므로 (변 ㄴㅇ)=(변 ㅇ′ㅇ)입니다.
따라서 삼각형 ㅇ′ㄴㅇ은 정삼각형입니다.
삼각형 ㅇ′ㄴㄱ과 삼각형 ㄱㄴㅇ은 같은 직각삼각형이므로
(각 ㅇ′ㄴㄱ)=60°÷2=30°이고,
(각 ㅇ′ㄱㄴ)=180°−90°−30°=60°입니다.

해결 전략
삼각형 ㅇ′ㄴㅇ은 어떤 삼각형인지 알아봅
니다.

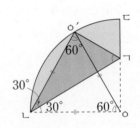

｜최상위 사고력｜   **88~89쪽**

1 39 cm   **2** 100°

3 7가지   **4** 75°

---

1 종이 띠의 길이는 다음과 같이 굵은 선으로 그린 선의 길이와 같습니다.

해결 전략
정삼각형의 세 변의 길이는 모두 같음을 이
용합니다.

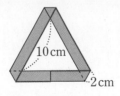

작은 정삼각형과 큰 정삼각형의 한 변의 길이를 이용하여 알 수 있는 선
분의 길이를 표시합니다.

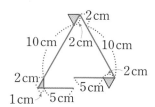

따라서 굵은 선의 길이는 $7+12+14+6=39$(cm)입니다.

2 다음과 같은 순서로 ㉡＋㉢×2의 크기를 구해 봅니다.

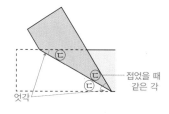
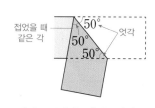
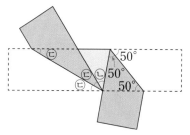

① ㉢과 크기가 같은 각을 표시합니다.

② 50°와 크기가 같은 각을 표시합니다.

③ 한 직선과 만나는 평행선에서 엇각의 크기는 서로 같으므로 ㉡＋㉢×2＝50°＋50°＝100° 입니다.

3 • 삼각형인 경우

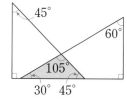

➡ 30°, 45°, 105°

해결 전략
먼저 겹쳤을 때 만들어지는 서로 다른 모양의 도형을 모두 찾아봅니다.

• 사각형인 경우

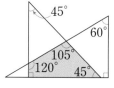

➡ 45°, 90°, 105°, 120°

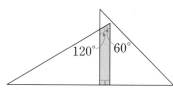

➡ 60°, 90°, 120°

• 오각형인 경우

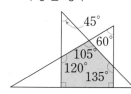

➡ 90°, 105°, 120°, 135°

따라서 찾을 수 있는 서로 다른 크기의 각은 30°, 45°, 60°, 90°, 105°, 120°, 135°로 모두 7가지입니다.

4 선분 ㄱ′ㄹ은 정사각형의 한 변의 길이와 같고,

선분 ㄹㅂ은 정사각형의 한 변의 길이의 반입니다.

(각 ㄱ′ㅂㄹ)=90°이므로 삼각형 ㄹㄱ′ㅂ은 정삼각형의 반쪽입니다.

(각 ㄱㄹㄱ′)=90°−60°=30°이고 색종이를 한 번 접었으므로

(각 ㄱ′ㄹㅅ)=(각 ㄱㄹㅅ)=30°÷2=15°입니다.

(각 ㅅㄱ′ㄹ)=(각 ㅅㄱㄹ)=90°이므로 삼각형 ㅅㄱ′ㄹ에서

(각 ㄱ′ㅅㄹ)=180°−90°−15°=75°입니다.

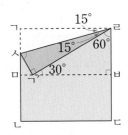

10-1. 정다각형의 한 내각의 크기		90~91쪽
1 150°	**2** 정이십각형	최상위 사고력 **10개**

저자 톡! 이 단원에서는 정다각형을 크기가 똑같은 이등변삼각형으로 나누어 한 내각의 크기를 구해 봅니다. 이 원리를 이용하면 공식을 이용하지 않아도 정다각형의 한 내각의 크기를 구할 수 있습니다.

1 정십이각형의 각 꼭짓점을 가운데의 한 점과 연결하면 똑같은 이등변삼각형 12개로 나눌 수 있습니다.

> **해결 전략**
> 이등변삼각형의 크기가 같은 두 각의 크기의 합을 이용합니다.

이등변삼각형에서 크기가 같은 두 각이 아닌 나머지 한 각의 크기는

360°÷12=30°이므로 크기가 같은 두 각의 크기의 합은

180°−30°=150°입니다.

> **다른 풀이**
> 정□각형의 한 각의 크기는 180°×(□−2)÷□이므로
> 정십이각형의 한 각의 크기는 180°×(12−2)÷12=150°입니다.

2 정오각형의 한 각의 크기는 108°, 정사각형의 한 각의 크기는 90°이므로 주어진 정다각형의 한 각의 크기는 360°−108°−90°=162°입니다.

정다각형의 각 변을 길이가 같은 두 변이 아닌 나머지 한 변으로 하는 이등변삼각형을 생각할 때

(이등변삼각형의 크기가 같은 두 각의 크기의 합)=162°이고,

(이등변삼각형의 나머지 한 각의 크기)=180°−162°=18°입니다.

따라서 정다각형은 이등변삼각형 360°÷18°=20(개)로 나눌 수 있으므로 주어진 도형은 정이십각형입니다.

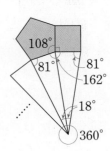

다른 풀이

정□각형의 한 각의 크기는 180°×(□−2)÷□입니다.

정오각형의 한 각의 크기는 108°, 정사각형의 한 각의 크기는 90°이므로 주어진 도형의 한 각의 크기는 360°−108°−90°=162°입니다.

180°×(□−2)÷□=162°, 180°×(20−2)÷20=162°이므로 주어진 도형은 정이십각형입니다.

최상위 사고력 정오각형의 두 변을 연장하여 이등변삼각형을 만들면 정오각형의 한 각의 크기는 108°이므로 이등변삼각형에서 크기가 같은 각의 크기는 180°−108°=72°이고, 나머지 한 각의 크기는 180°−72°×2=36°입니다.

따라서 이등변삼각형을 360°÷36°=10(개) 이어 붙일 수 있으므로 필요한 정오각형은 모두 10개입니다.

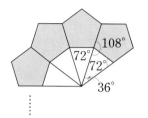

10-2. 한 가지 도형으로 테셀레이션 하기

1 ⑤, ⑧

2 정팔각형의 한 각의 크기는 135°입니다. 135°의 합으로 360°를 만들 수 없으므로 정팔각형만으로 바닥을 빈틈없이 덮을 수 없습니다.

최상위 사고력 예

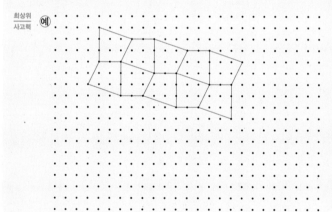

저자 톡! 이 단원에서는 한 가지 도형으로 테셀레이션 하는 방법을 알아봅니다. 테셀레이션은 도형을 서로 겹치거나 빈틈이 생기지 않게 늘어놓아 평면이나 공간을 덮는 것을 말합니다. 보도블록, 욕실의 타일, 포장지의 무늬 등 우리 생활 주변에서도 테셀레이션은 쉽게 찾아볼 수 있습니다. 한 가지 도형으로 테셀레이션이 가능한 도형과 불가능한 도형을 찾아보고 그 이유를 구해 봅니다.

1 ⑤ 정오각형의 한 각의 크기는 108°이고, 108°의 합으로 360°를 만들 수 없으므로 테셀레이션을 할 수 없습니다.

⑧ 원을 한 점에 모이도록 이어 붙일 수 없으므로 항상 빈틈이 생깁니다.

해결 전략
테셀레이션을 하기 위해서는 한 점에 모이는 도형의 각의 크기의 합이 360°가 되어야 합니다.

다른 풀이

테셀레이션 한 모양은 다음과 같습니다.

예 ① ② ③ ④ ⑥ ⑦

2 정다각형을 겹치지 않고 빈틈없이 붙이려면 한 점에 모이는 각의 크기의
   합이 360°가 되어야 합니다. 정팔각형의 한 각의 크기는
   $180° \times (8-2) \div 8 = 135°$이고, 135°의 합으로 360°를 만들 수 없으
   므로 테셀레이션을 할 수 없습니다.

보충 개념
삼각형과 사각형은 어떤 모양이라도 테셀레
이션을 할 수 있습니다.

최상위
사고력 다음과 같은 방법으로 주어진 사각형을 뒤집어 한 점에 사각형의 4개의
        각이 모두 모일 수 있도록 그립니다.

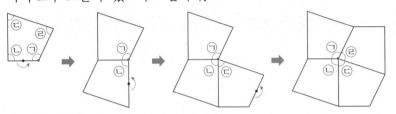

10-3. 여러 가지 도형으로 테셀레이션 하기

94~95쪽

1 정팔각형

2 ①, ②, ④

최상위
사고력 예

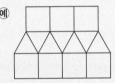

저자 톡! 이 단원에서는 두 가지 이상의 정다각형으로 테셀레이션 하는 방법을 알아봅니다. 두 가지 이상의 정다각형을 사용하고 각 점에서
모이는 정다각형의 개수와 정다각형들의 배열이 일정한 테셀레이션을 준정다각형 테셀레이션이라고 합니다. 한 가지 도형으로 테셀레이션 할
때와 여러 가지 도형으로 테셀레이션 할 때 모두 한 점에서 모이는 도형들의 각의 크기의 합이 360°가 되어야 한다는 원리는 같습니다.

1 |보기|에서 색칠된 정육각형은 한 꼭짓점에서 2개의 도형과 만납니다.
   정사각형에 4개의 정다각형을 빈틈없이 붙이려면 한 꼭짓점에서
   다른 정다각형 2개와 만나야 합니다. 이때 다른 정다각형의 한 각의 크
   기는 $(360° - 90°) \div 2 = 135°$입니다.
   따라서 한 각의 크기가 135°인 정다각형은
   $180° \times (8-2) \div 8 = 135°$이므로 정팔각형입니다.

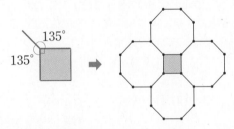

2 먼저 정다각형의 한 각의 크기를 구합니다.
   ① 정삼각형: 60°   ② 정사각형: 90°   ③ 정오각형: 108°
   ④ 정육각형: 120°   ⑤ 정팔각형: 135°
   각의 크기가 가장 큰 정팔각형부터 사용하여 나머지 2가지 도형을 붙여
   테셀레이션 할 수 있는지 살펴봅니다.

해결 전략
테셀레이션을 하기 위해서는 한 점에 모이
는 각의 크기의 합이 360°가 되어야 합니
다.

- 정팔각형을 사용하는 경우

  $360° - 135° = 225°$

  → 나머지 2종류의 정다각형으로 225°를 만들 수 없습니다.
- 정육각형을 사용하는 경우

  $360° - 120° = 240°$

  → 정사각형 2개, 정삼각형 1개로 240°를 만들 수 있습니다.
- 정오각형을 사용하는 경우

  $360° - 108° = 252°$

  → 나머지 2종류의 정다각형으로 252°를 만들 수 없습니다.

따라서 3종류의 정다각형으로 테셀레이션을 할 때 필요한 3종류의 도형은 ① 정삼각형 ② 정사각형 ④ 정육각형입니다.

최상위 사고력 정사각형과 정삼각형을 한 점에 빈틈없이 붙일 수 있는 방법은
정사각형 2개, 정삼각형 3개를 붙이는 경우입니다.

해결 전략
한 점에 모이는 각의 크기의 합이 360°가 되려면 정삼각형과 정사각형이 각각 몇 개씩 필요한지 알아봅니다.

보충 개념
2가지 이상의 정다각형으로 이루어진 테셀레이션 중 한 점에 모이는 정다각형의 개수와 배열이 일정한 테셀레이션을 준정다각형 테셀레이션(또는 아르키메데스 테셀레이션)이라고 합니다. 준정다각형 테셀레이션은 모두 8가지가 있습니다.

최상위 사고력

1 60 cm

2 풀이 참조

3 ②, ⑤

4 정사각형, 정육각형, 정십이각형

1 주어진 정다각형의 가운데 한 점과 정다각형의 각 꼭짓점을 이으면 똑같은 이등변삼각형으로 나누어집니다. 이등변삼각형의 크기가 같은 각의 크기의 합은 $180° - 18° = 162°$이므로 나머지 한 각의 크기는 $180° - 162° = 18°$입니다. 주어진 정다각형은 이등변삼각형을 $360° ÷ 18° = 20$(개) 이어 붙인 도형이므로 정이십각형이 됩니다. 따라서 한 변의 길이가 3 cm인 정이십각형의 둘레의 길이는 $3 × 20 = 60$(cm)입니다.

2 정육각형의 한 각의 크기는 120°입니다.
칠교 조각에서 찾을 수 있는 각의 크기는 45°, 90°, 135°입니다.
이 각도들을 이어 붙여 120°인 각을 만들 수 없습니다.
따라서 칠교 조각을 이용하여 정육각형을 만들 수 없습니다.

해결 전략
칠교 조각으로 정육각형을 만들려면 정육각형의 한 각인 120°를 만들 수 있어야 합니다.

3

②, ⑤를 제외한 나머지 도형을 겹치지 않게 서로 이어 붙이면 모두 빈
공간이 생기므로 테셀레이션 할 수 없습니다.

4 먼저 정다각형의 한 각의 크기를 구합니다.

정사각형: 90°, 정오각형: 108°, 정육각형: 120°, 정팔각형: 135°

정십각형: 144°, 정십이각형: 150°

각의 크기가 가장 큰 정십이각형부터 사용하여 나머지 2가지 도형을 붙
여 테셀레이션을 할 수 있는지 살펴봅니다.

• 정십이각형을 사용하는 경우

   $360° - 150° = 210°$

   → 정육각형 1개, 정사각형 1개로 210°를 만들 수 있습니다.

   $(90° + 120° + 150° = 360°)$

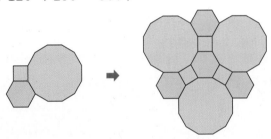

• 정십각형을 사용하는 경우

   $360° - 144° = 216°$

   → 나머지 2종류의 정다각형으로 216°를 만들 수 없습니다.

나머지 도형도 3종류의 정다각형으로 테셀레이션을 할 수 없습니다.

따라서 3종류의 정다각형으로 테셀레이션을 할 때 필요한 3종류의 도형은
정사각형, 정육각형, 정십이각형입니다.

Review III 측정

|98~100쪽

1 90°	**2** 99°	**3** 48°
4 150°	**5** 35°	**6** 45°, 144°

1 평행사변형에서 마주 보는 각의 크기는
서로 같으므로 (각 ㄱㄴㄷ)=50°입니다.

(각 ㅁㅂㄴ)=180°-140°=40°이므로

삼각형 ㅁㄴㅂ에서

⊙=180°-50°-40°=90°입니다.

해결 전략
평행사변형에서 마주 보는 각의 크기는 서
로 같음을 이용합니다.

2 사다리꼴끼리 만나는 선을 연장하면 고리 안쪽으로 이등변삼각형을 만들 수 있습니다.

사다리꼴 20개를 이어 붙였으므로 이등변삼각형도 20개를 이어 붙일 수 있습니다.

이등변삼각형의 한 각의 크기는 $360°÷20=18°$이므로 이등변삼각형의 크기가 같은 각의 크기는 $180°-18°=162°$, $162°÷2=81°$입니다.

따라서 ㉠$=180°-81°=99°$입니다.

해결 전략
사다리꼴의 두 변을 연장하여 만들 수 있는 이등변삼각형을 생각해 봅니다.

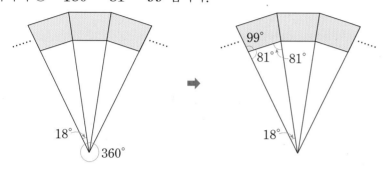

3 직선 가와 직선 나에 평행하고, 꺾인 부분을 지나도록 직선 2개를 긋고, 평행선과 한 직선이 만날 때 생기는 동위각과 엇각의 성질을 이용하여 알 수 있는 각의 크기를 표시하면 ㉠$+$㉡$+90°+42°=180°$, ㉠$+$㉡$=48°$입니다.

해결 전략
직선 가와 직선 나 사이에 평행선을 그어 평행선과 한 직선이 만날 때 생기는 동위각과 엇각의 성질을 이용합니다.

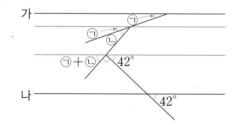

4 삼각형 ㅁㄴㄷ은 두 변의 길이가 같으므로 이등변삼각형입니다.

해결 전략
이등변삼각형의 성질을 이용합니다.

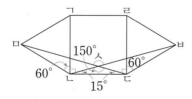

(각 ㅁㄴㄷ)$=60°+90°=150°$이고

(각 ㄴㅁㄷ)$+$(각 ㄴㄷㅁ)$=180°-150°=30°$이므로

(각 ㄴㄷㅁ)$=30°÷2=15°$입니다.

삼각형 ㄷㄴㅂ도 이등변삼각형이므로 같은 방법으로 각 ㄷㄴㅂ의 크기를 구하면 (각 ㅂㄴㄷ)$=15°$이므로

삼각형 ㅅㄴㄷ에서 (각 ㄴㅅㄷ)$=180°-15°-15°=150°$입니다.

각 ㅁㅅㅂ은 각 ㄴㅅㄷ의 맞꼭지각이므로 (각 ㅁㅅㅂ)$=150°$입니다.

5 삼각형 ㄱʹㄴʹㄷ은 삼각형 ㄱㄴㄷ을 점 ㄷ을 중심으로 시계 방향으로 30°만큼 회전한 것이므로 (각 ㄱㄷㄱʹ)=(각 ㄴㄷㄴʹ)=30°입니다.

삼각형 ㄱㄴㄷ과 삼각형 ㄱʹㄴʹㄷ은 같은 삼각형이므로

(변 ㄱㄷ)=(변 ㄱʹㄷ)입니다.

따라서 삼각형 ㄱㄷㄱʹ은 이등변삼각형이므로

(각 ㄷㄱʹㄱ)+(각 ㄷㄱㄱʹ)=180°−30°=150°,

(각 ㄷㄱʹㄱ)=150°÷2=75°입니다.

삼각형 ㄱㄴㄷ과 삼각형 ㄱʹㄴʹㄷ은 같은 삼각형이므로

(각 ㄱʹㄴʹㄷ)=40°입니다.

따라서 삼각형 ㄱʹㄴʹㄷ에서 ㉠=180°−75°−40°−30°=35°입니다.

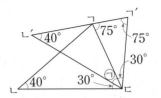
해결 전략
30°만큼 회전하였으므로 (각 ㄱㄷㄱʹ)=30° 입니다.

6 마름모에서 이웃한 각의 크기의 합은 180°이므로

(각 ㄴㄱㅁ)=180°−126°=54°입니다.

삼각형 ㄱㄴㅁ에서 (각 ㄱㄴㅁ)=180°−90°−54°=36°입니다.

마름모에서 마주 보는 각의 크기는 같으므로 (각 ㄱㄴㄷ)=126°이고

접기 전 부분과 접힌 부분의 각의 크기는 같으므로

36°+㉠+㉠=126°, ㉠=45°입니다.

삼각형 ㄴㄷㅂ에서 (각 ㄴㅂㄷ)=180°−54°−45°=81°이고

접기 전 부분과 접힌 부분의 각의 크기는 같으므로

(각 ㄴㅂㅅ)=81°입니다.

따라서 사각형 ㅁㄴㅂㅅ에서

㉡=360°−90°−45°−81°=144°입니다.

해결 전략
접기 전과 접은 후의 각의 크기는 같음을 이용합니다.

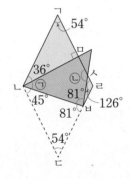

Ⅳ 확률과 통계

이번 단원에서는 다른 단원보다도 우리 생활과 더욱 밀접히 연관된 **11** 리그와 토너먼트, **12** 한붓그리기,
13 최단거리의 가짓수 3가지 주제에 대해 차례로 학습합니다.

11 리그와 토너먼트에서는 축구 경기를 하는 방법인 리그와 토너먼트 2가지 방법에 대해서 각각의 경기 수를
규칙을 이용하여 간단히 구하는 방법을 학습합니다.

12 한붓그리기에서는 먼저 추상화된 여러 가지 도형이 한붓그리기가 가능한 도형인지 살펴봅니다. 이어서
한붓그리기의 원리를 실생활 속에 이용한 '다리 건너기'와 '최적 경로'에 대해 학습합니다.

13 최단거리의 가짓수에서는 여러 가지 갈림길이 있는 평면과 공간에서 각각 최단거리로 가는 방법의 가짓수를
찾는 효율적인 방법에 대해 학습합니다.

수학자 오일러는 늘 복잡한 수학 문제나 생활 속에서 만난 현상들을 간단한 기호나 그림으로 표현하고 싶어 했고,
이런 그의 태도는 수학에서 위대한 업적을 남겼을 뿐만 아니라 우리 생활을 더욱 편리하게 만들었습니다.
우리도 이 주제를 통해 수학의 유용성을 느끼고 수학 문제 뿐만 아니라 우리 주변에서 일어나는 여러 현상들을
오일러와 같은 관점으로 바라보는 태도를 경험할 수 있도록 합니다.

최상위 사고력 **11** 리그와 토너먼트

11-1. 악수하기
102~103쪽

1 (1) 10번 (2) 15번　　　　**2** 144번　　　　최상위 사고력 7번

> **저자 특!** 몇 명의 사람들끼리 모여 서로 한 번씩 악수를 할 때 악수하는 횟수를 구하는 내용입니다. 예를 들어 4명의 사람들이 서로 악수를 한다고 할 때 한 사람은 악수를 3번씩 하게 되고 다른 사람들의 입장에서도 생각해 보면 악수를 모두 $3 \times 4 = 12$(번) 하게 됩니다. 그러나 악수는 두 사람씩 하는 것이므로 실제로 악수한 횟수는 $12 \div 2 = 6$(번)이 됩니다. 실수하기 쉬운 내용이므로 사람을 '점'으로, 악수하는 행동을 '선분'으로 나타내어 그 원리를 확실히 이해하도록 합니다.

1 (1) 5명을 점으로 나타내고 두 점 사이를 연결하는 선분을 그었을 때 선분의 개수가 악수를 한 횟수입니다.
①~⑤의 순서로 중복되지 않게 선분의 개수를 세어 보면
$4 + 3 + 2 + 1 = 10$(개)이므로 5명의 친구들이 한 악수는 모두 10번입니다.

(2) 6명을 점으로 나타내고 두 점 사이를 연결하는 선분을 그었을 때 선분의 개수가 악수를 한 횟수입니다.
①~⑥의 순서로 중복되지 않게 선분의 개수를 세어 보면
$5 + 4 + 3 + 2 + 1 = 15$(개)이므로 6명의 친구들이 한 악수는 모두 15번입니다.

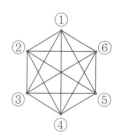

> **다른 풀이**
> (1) 한 사람은 악수를 4번씩 하게 되므로 악수를 한 횟수는 모두 $4 \times 5 = 20$(번)입니다. 그러나 악수는 두 사람씩 하는 것이므로 실제로 악수한 횟수는 $20 \div 2 = 10$(번)이 됩니다.
> (2) 한 사람은 악수를 5번씩 하게 되므로 악수를 한 횟수는 모두 $5 \times 6 = 30$(번)입니다. 그러나 악수는 두 사람씩 하는 것이므로 실제로 악수한 횟수는 $30 \div 2 = 15$(번)이 됩니다.

2 점 18개를 찍고 선분을 그어 악수의 횟수를 구할 수 있으나 선분의 개수가 많을수록 복잡하므로 선분을 긋는 횟수의 규칙을 찾아 구합니다.

18명이 모두 악수하는 횟수: $17+16+15+\cdots\cdots+1=153$(번)

부부 9쌍이 부부끼리 악수하는 횟수: 9번

따라서 부부 9쌍이 부부끼리 악수를 한 횟수를 제외하면 악수한 횟수는 모두

$153-9=144$(번)입니다.

해결 전략
18명이 서로 한 번씩 악수한 횟수에서 부부끼리 악수한 횟수를 빼서 구합니다.

> **다른 풀이**
> 18명의 사람 중에 한 사람이 악수를 하는 횟수는 자신을 제외하면 17번입니다.
> 18명의 사람들이 악수를 하는 횟수는 $18\times17=306$(번)입니다. 하지만 악수는 한 번에 2명씩 하는 것이므로 18명이 악수를 하면 모두 $18\times17\div2=153$(번) 악수를 하게 됩니다.
> 또 조건에서 부부끼리는 서로 악수를 하지 않는다고 했으므로 부부끼리 악수를 한 횟수 9번을 빼면 $153-9=144$(번) 악수를 하게 됩니다.

최상위 사고력 친구 7명이 서로 한 번씩 악수하므로 1명이 악수한 횟수는 6번씩입니다.

따라서 상우는 3번, 선호는 1번, 가희는 3번, 수아는 3번, 정선이는 4번을 더 해야 하고 악수 1번을 할 때 두 사람이 하는 것이므로 앞으로 악수를 $3+1+3+3+4=14$, $14\div2=7$(번) 더 해야 합니다.

해결 전략
한 사람이 악수한 횟수는 모두 같습니다.

11-2. 리그와 토너먼트   104~105쪽

| **1** 풀이 참조, 6번 | **2** 25번 | **최상위 사고력** (1) 64번 (2) 7번 |

저자 톡! 운동경기 방식 중에는 한 팀이 다른 모든 팀들과 한 차례씩 시합을 하여 성적에 따라 순위를 매기는 방식인 '리그'와 두 팀끼리 시합을 하여 진 팀은 탈락하고 이긴 팀끼리 다시 시합을 하는 방식인 '토너먼트'가 있습니다. 여기서는 두 가지 방식으로 운동 경기를 할 때 치러야 하는 경기 수를 구하게 됩니다. 처음부터 머릿속으로만 생각하기에는 복잡할 수 있으므로 그림을 그리고, 규칙을 찾아 효율적으로 구할 수 있도록 합니다.

1

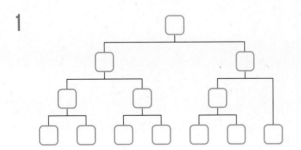

위와 같이 그림을 그렸을 때 선의 수만큼이 경기 수입니다.

➡ 6번

2 토너먼트 방식은 매 번 1명씩 탈락하게 되므로 5명이 남을 때까지 토너먼트 방식으로 경기를 하면 경기 수는 20명이 토너먼트 경기를 한 수 $(20-1=19)$에서 5명이 토너먼트 경기를 한 수$(5-1=4)$를 빼서 구합니다.

➡ $19-4=15$(번)

리그 방식은 악수하기와 같은 방식이므로 5명이 한 경기 수는 $5\times(5-1)\div2=10$(번)입니다.

따라서 팔씨름 대회의 경기 수는 토너먼트 경기 수와 리그 경기 수를 더하여 구합니다.

➡ $15+10=25$(번)

해결 전략
(토너먼트의 경기 수)=(팀 수)−1,
(리그의 경기 수)=□×(□−1)÷2

최상위 사고력 (1) 예선에서 한 조에 4개국씩 모두 8개조가 리그 경기를 합니다. 예선전 한 조의 경기 수는 $4\times(4-1)\div2=6$(번)이므로 예선전의 경기 수는 $6\times8=48$(번)입니다.

본선에서 모두 16개 나라가 토너먼트 경기를 하므로 본선의 경기 수는 $16-1=15$(번)입니다.

따라서 월드컵 축구 대회에서 열리는 경기는 준결승전까지 모두 $48+15+1=64$(번)입니다.

(2) 예선에서 한 조에 4개국씩 리그 경기를 하므로 예선전에서 한국의 경기 수는 3(번)입니다.

본선에서 한국의 경기 수는 16강, 8강, 4강, 그리고 3, 4위전까지 모두 4번입니다.

따라서 우리나라가 한 경기는 모두 $3+4=7$(번)입니다.

해결 전략
예선과 본선으로 나누어 경기 수를 구합니다.

해결 전략
예선과 본선으로 나누어 경기 수를 구합니다.

보충 개념

리그(League) :
한 팀이 다른 모든 팀들과 한 차례씩 시합을 하여 그 성적에 따라 순위를 결정하는 방식입니다. 시합 수가 많지만 각 팀이 실력을 충분히 발휘할 기회가 있는 것이 장점입니다. 리그의 원래 뜻은 연합 또는 동맹인데, 19세기 영국에서 관객에게 수준 높은 경기를 보여 주기 위해 실력이 높은 축구팀끼리 서로 리그를 구성하여 시합을 한 것이 스포츠 리그의 시작입니다. 그래서 스포츠 리그에서 팀들끼리 시합을 하는 방식을 리그 방식이라고 부르게 되었습니다.

토너먼트(Tournament) :
두 팀끼리 시합을 하여 진 팀은 탈락하고 이긴 팀끼리 다시 시합을 하는 방식입니다. 참가팀이 많아도 적은 시합 수로 해결되는 것이 큰 장점이지만, 지면 바로 탈락하기 때문에 실력을 발휘해 보지 못하고 떨어지는 억울한 경우가 생기기 쉽습니다. 토너먼트의 원래 뜻은 중세의 기사들이 말을 타고 벌인 무술 시합에서 비롯되었습니다. 기사들의 시합은 매우 격렬하여 패자가 다치거나 죽는 일이 많았습니다. 그렇기 때문에 진 사람은 다시 시합을 하지 않는 방식이 자연스러웠습니다.

1

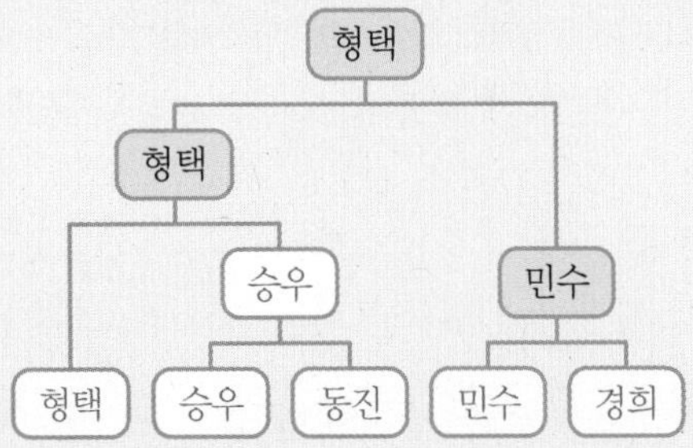

2

	승	패
A	1	2
B	2	1
C	1	2
D	2	1

최상위 사고력 (1) 1무 2패 (2) 이긴 팀: 없음, 비긴 팀: C, 진 팀: A, B

저자 톡! 리그와 토너먼트 방식의 운동 경기에서 조건을 이용하여 경기 결과(승·무·패)를 알아보는 내용입니다. 특히 리그 방식에서는 한 경기에서 '승'과 '패'가 각각 1번씩 나타나고 '무'는 2번 나타나게 됩니다. 또한 전체 경기 수는 모든 팀의 승리 횟수를 더한 것과 같습니다. 이와 같이 경기 수와 승·무·패에 관련된 규칙을 찾아보고, 표를 이용하여 문제를 해결하도록 합니다.

1 민수와 형택이가 2번씩 경기를 하였으므로 형택이는 ㉠, 민수는 ㉣에 들어갑니다. 승우는 민수와 경기를 하지 않았으므로, ㉤에 들어갈 수 없고 ㉡에 들어갑니다. 또한 승우는 동진이를 이겼으므로 ㉥에 승우, ㉢에 동진이가 들어갑니다. 그러므로 ㉤은 경희입니다. (승우와 동진, 민수와 경희의 위치는 바뀔 수 있습니다.)

해결 전략
민수와 형택이의 이름이 들어갈 위치부터 생각합니다.

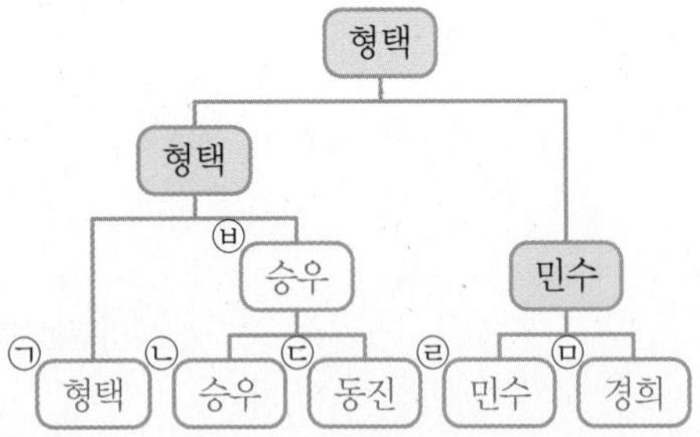

2 4팀이 리그 방식으로 경기를 하면 한 팀당 3번씩 경기를 합니다.
모두 3번씩 경기를 하므로 ㉠에는 $3-1=2$, ㉡에는 $3-2=1$이 들어갑니다.
4팀이 리그 방식으로 경기를 할 때 경기 수는 모두 $4\times(4-1)\div2=6$(번)이므로 모든 팀의 이긴 경기의 합이 6번, 진 경기의 합이 6번이 되어야 합니다.
따라서 ㉢에는 $6-1-2-1=2$, ㉣에는 $6-2-1-2=1$이 들어갑니다.

	승	패
A	1	㉠ 2
B	2	1
C	㉡ 1	2
D	㉢ 2	㉣ 1

최상위 사고력 (1) 4팀이 리그 방식으로 경기를 하면 한 팀당 3번씩 경기를 합니다.
무승부 경기가 짝이 맞아야 하므로 D팀은 1 경기를 무승부합니다.
리그 방식에서 승리한 경기 수의 합이 4번이므로 D팀의 패한 경기
횟수가 4−1−1=2(번)이 되어야 합니다.
➡ ㉠: 0, ㉡: 1, ㉢: 2
따라서 D팀은 1무 2패입니다.

	승	무	패
A	2	0	1
B	1	1	1
C	1	2	0
D	㉠ 0	㉡ 1	㉢ 2

(2) C팀이 2번 무승부를 하였으므로 1번은 B팀과 다른 한 번은 D팀과
무승부 경기를 한 것입니다. D팀의 전적은 1무 2패입니다. D팀이
A, B, C 팀과 한 번씩 경기 하였고 C팀과 무승부 경기를 하였으므
로 A, B 팀에게 진 것을 알 수 있습니다.

> **해결 전략**
> 무승부 경기를 한 팀부터 먼저 찾습니다.

최상위 사고력

108~109쪽

1 9명

2 255번

3 4

4 (1) 7번 (2) 2팀 (3) ㉣, ㉤, ㉥, ㉦ (4) ㉢

---

1 서로 한 번씩 모두 36번 바꾸었으므로 리그 방식의 경기 횟수가 36번이
라고 생각합니다. □×(□−1)÷2=36이므로 □=9입니다.
따라서 명수네 모둠 학생은 모두 9명입니다.

> **해결 전략**
> 서로 한 번씩 카드를 교환하는 것은 리그 방식과 같습니다.

2 ① 각 팀의 대표는 6명입니다. 6명이 서로 한 번씩 악수를 하므로 대표
들이 악수하는 횟수는 6×(6−1)÷2=15(번)입니다.
② 남은 선수들은 4×6=24(명)입니다. 24명이 서로 한 번씩 악수하
는 횟수는 24×(24−1)÷2=276(번)입니다.
③ 같은 팀 4명씩 서로 악수하는 횟수는
4×(4−1)÷2×6=36(번)입니다.
④ 따라서 6팀의 선수들이 한 악수는 모두 15+276−36=255(번)입
니다.

> **해결 전략**
> (토너먼트의 경기 수)=(팀 수)−1,
> (리그의 경기 수)=□×(□−1)÷2

3 5명이 서로 한 번씩 가위바위보를 한다고 하면 가위바위보의 횟수는 모
두 5×(5−1)÷2=10(번)입니다.
한 번 가위바위보를 해서 두 사람이 얻는 점수의 총합은 2점이므로 가위
바위보를 10번하여 5명이 얻을 수 있는 점수의 총합은 20점입니다.
따라서 동혁이가 얻은 점수는 20−4−3−6−3=4(점)입니다.

75 정답과 풀이

4 (1) (토너먼트의 경기 수)=(팀 수)−1이므로 8팀이 경기를
하면 경기 수는 모두 8−1=7(번)입니다.

(2) 오른쪽과 같이 그림을 그리면 ㉡팀은 모두 3번 경기를 하
였음을 알 수 있습니다. 마지막 경기에서 ㉠팀에게 졌으
므로 ㉡팀은 모두 2팀을 이겼습니다.

(3) 오른쪽과 같이 그림을 그리면 ㉡팀에게 진 ㉣팀과 빈 곳
에 들어갈 수 있는 ㉤, ㉥, ㉦팀이 모두 첫 경기에서 진 팀
입니다.

(4) 오른쪽과 같이 그림을 그리면 ㉠팀이 두 번째 경기에서
㉧팀에게 이겼음을 알 수 있습니다.

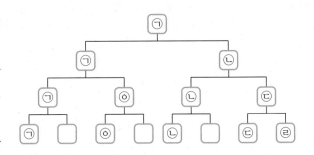

12-1. 한붓그리기

1 ㉠, ㉢

2 예

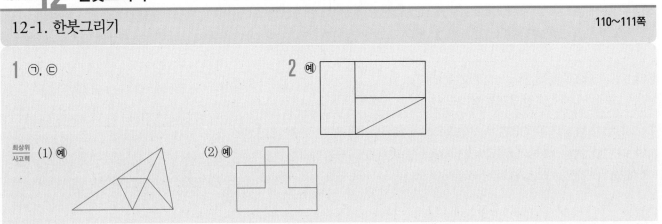

최상위 사고력 **(1)** 예　　　**(2)** 예

저자 톡! 붓을 한 번도 종이 위에서 떼지 않고 같은 곳을 한 번씩만 지나가도록 그릴 수 있을 때 '한붓그리기'가 가능하다고 합니다. 특히 한붓
그리기에서는 시작하는 점이나 도착하는 점을 정할 필요는 없고, 같은 꼭짓점을 여러 번 지나도 좋으나 모든 선은 꼭 한번씩만 지나가야 합니
다. 이 특징을 이용하여 한붓그리기를 할 수 없는 도형에 대해서는 선을 긋거나, 선을 지워 한붓그리기가 가능한 도형으로 만들어 봅니다.

1 도형에서 한 꼭짓점에 연결된 선의 수가 짝수 개인 점을 짝수점, 홀수 개
인 점을 홀수점이라고 합니다. 홀수점이 0개 또는 2개인 경우 한붓그리
기가 가능합니다.
홀수점의 개수를 구하면 다음과 같습니다.

해결 전략
도형에서 홀수점을 찾아 표시합니다.

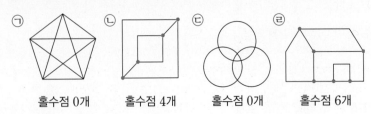

㉠	㉡	㉢	㉣
홀수점 0개	홀수점 4개	홀수점 0개	홀수점 6개

따라서 한붓그리기가 가능한 도형은 ㉠, ㉢입니다.

2

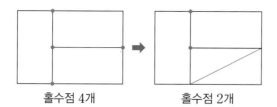

홀수점 4개 → 홀수점 2개

해결 전략
홀수점이 2개가 되도록 선을 긋습니다.

홀수점이 4개이므로 2개가 되도록 최소한의 선을 그으려면 홀수점 2개를 잇는 선 하나를 그어야 합니다.
이외에도 홀수점 2개를 잇는 선을 그리면 모두 정답입니다.

최상위 사고력 홀수점이 4개이므로 2개가 되도록 최소한의 선을 지우려면 홀수점 2개를 잇는 선 하나를 지워야 합니다. 홀수점이 개수가 0개 또는 2개가 되도록 선을 지웁니다.

(1)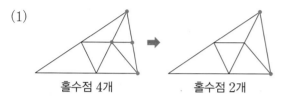

홀수점 4개 → 홀수점 2개

이외에도 홀수점 2개를 잇는 선을 지우면 모두 정답입니다.

(2)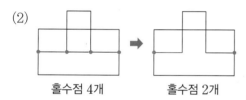

홀수점 4개 → 홀수점 2개

이외에도 홀수점 2개를 잇는 선을 지우면 모두 정답입니다.

12-2. 다리 건너기
112~113쪽

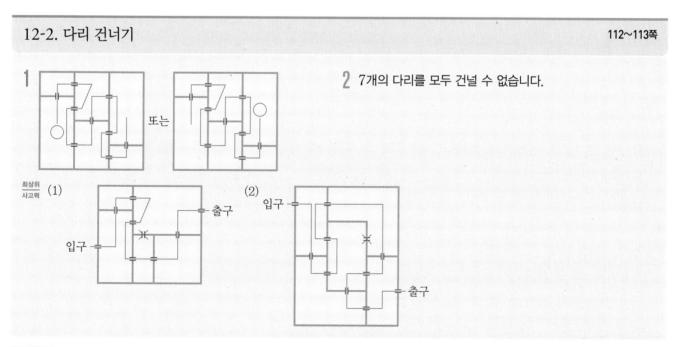

1

또는

최상위 사고력 (1)

출구
입구

(2)

입구

출구

2 7개의 다리를 모두 건널 수 없습니다.

저자 톡! 앞에서는 추상화된 도형을 보고 한붓그리기가 가능한지 알아보았다면 이번에는 실생활과 관련된 방 배치도, 지도 등을 보고 한붓그리기가 가능한지 알아봅니다. 사실 한붓그리기는 약 250년 전에 수학자 오일러가 독일의 쾨니히스베르크의 일곱 개의 다리를 건너면서 생각해 낸 개념입니다. 실생활 문제가 어떻게 한붓그리기의 원리로 해결될 수 있는지 경험하며 수학의 유용성을 느껴 보고, 우리 주변에서 한붓그리기의 원리가 사용되는 다양한 상황을 찾아보도록 합니다.

77 정답과 풀이

1

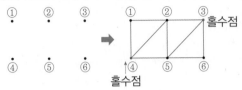

해결 전략
방을 점, 문을 선으로 나타내어 그림을 그립니다.

방을 점으로 나타내기　문을 선으로 나타내기

① ② ③
● ● ●

① ② ③ 홀수점
┌─┬─┐
│╲│╲│
└─┴─┘
④ ⑤ ⑥
④ ⑤ ⑥
● ● ●
↑
홀수점

홀수점이 2개이므로 반드시 홀수점에서 출발하여 다른 홀수점에서 끝나는 한붓그리기를 할 수 있습니다.

2

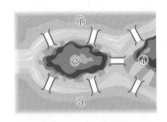 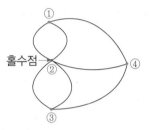

해결 전략
육지와 섬을 점, 다리를 선으로 나타내어 그림을 그립니다.

홀수점이 4개이므로 한붓그리기를 할 수 없습니다.
따라서 7개의 다리를 모두 건널 수 없습니다.

> **지도 가이드**
> 약 18세기경 독일의 쾨니히스베르크에는 프레겔이라는 강이 흐르고 있었습니다. 이 강에는 두 섬이 육지와 7개의 다리로 연결되어 있었습니다. 그 당시에 "7개의 다리를 차례로 한 번씩 모두 건너되, 같은 다리는 두 번 이상 건너지 않는 산책로가 있을까?" 하는 문제가 화제가 되었다고 합니다. 수많은 사람들이 도전했지만 오랜 시간이 지나도 이 문제는 풀리지 않았습니다.
> 결국에는 수학자 오일러에 의해 수학적인 방법으로 풀리게 되는데 이 문제가 그 유명한 '쾨니히스베르크의 다리 건너기 문제'입니다.

최상위 사고력 홀수점이 4개이므로 2개가 되도록 홀수점 2개를 잇는 선을 지워야 합니다. 따라서 ②번 방과 ④번 방 사이의 문을 지웁니다.

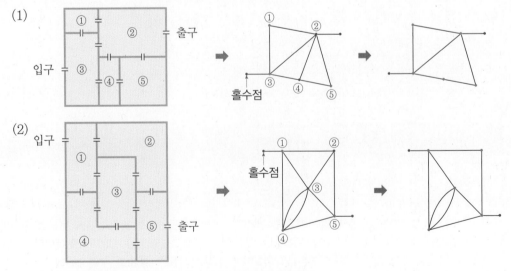

따라서 ②번 방과 ③번 방 사이의 문을 지웁니다.

1 (1) 7 m (2) 11 m   **2** 56 km   최상위 사고력 50 km

저자 톡! 한붓그리기의 원리는 모든 길을 지나면서 가장 짧은 길을 찾아야 하는 상황에도 유용하게 사용됩니다. 동네 구석구석 모든 길을 청소해야 하는 청소차의 경우 가장 짧은 길로 청소하게 되면 시간과 연료를 모두 아낄 수 있어 매우 효율적입니다. 이처럼 가장 짧은 길을 직접 그려 가며 찾아보고, 한붓그리기의 원리가 어떻게 이용되는지 알아보며 수학의 유용성을 느껴 봅니다.

1 (1) 홀수점이 2개이므로 한붓그리기가 가능합니다. ➡ 7 m

해결 전략
최소 거리는 한붓그리기로 가는 방법입니다.

(예)

(2) 홀수점이 4개이므로 홀수점 2개를 잇는 선 하나를 중복하여 그으면 홀수점이 2개가 되어 한붓그리기가 가능합니다. 따라서 홀수점 2개 사이를 중복하여 지나가는 길이 최소 거리입니다.

➡ 11 m

(예)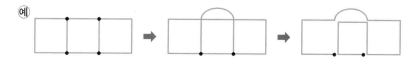

2 홀수점이 8개이므로 홀수점 2개를 잇는 선 4개를 중복하여 그리면 홀수점이 0개가 되어 한붓그리기가 가능합니다.

해결 전략
같은 길을 중복하여 지나가야 하는 경우 긴 길보다 짧은 길을 중복하여 지나갑니다.

(예)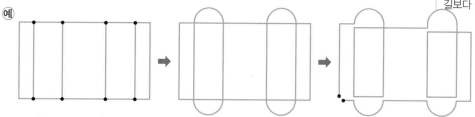

$5 \times 6 + (1 \times 4 + 2 \times 8 + 3 \times 2) = 30 + (4 + 16 + 6) = 56 \text{ (km)}$

최상위 사고력 오른쪽과 같이 도형의 홀수점은 모두 8개입니다. 홀수점을 연결하여 홀수점의 개수를 모두 0개로 만들면 한붓그리기가 가능합니다. 그러나 홀수점을 연결하는 선을 그릴 수 없으므로 가장 짧은 길은 홀수점 사이의 길을 두 번씩 지나가는 것입니다.

홀수점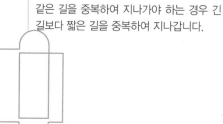

$6 \times 4 = 24, 6 \times 3 = 18, 3 + 1 + 1 + 3 = 8$

➡ $24 + 18 + 8 = 50 \text{ (km)}$

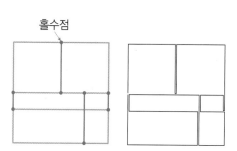

1 ㉠, ㉡ 또는 ㉡, ㉠

3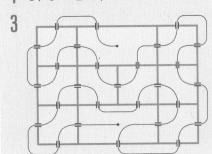

2 (1) 1 (2) 2 (3) 3

4 16 cm

---

1 홀수점이 2개이면 한 홀수점에서 시작하여 다른 홀수점에서 한붓그리기가 끝납니다. 따라서 오른쪽 그림에서 홀수점 중 하나에 입구, 다른 하나에 출구를 설치합니다.

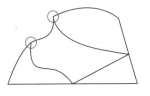

> **해결 전략**
> 지도에서 홀수점의 위치를 확인합니다.

2 (1) 홀수점이 2개이므로 한붓그리기가 가능합니다. 따라서 한 번에 그릴 수 있습니다.

홀수점 2개

> **해결 전략**
> 도형에 홀수점을 찾아 표시합니다.

(2) 홀수점이 4개이면 출발점과 도착점이 각각 2개씩 되어 2번 만에 그릴 수 있습니다.

홀수점 4개

(3) 홀수점이 6개이면 출발점과 도착점이 각각 3개씩 되어 3번 만에 그릴 수 있습니다.

홀수점 6개

3

> **해결 전략**
> 방을 점, 문을 선으로 나타내어 그림을 그립니다.

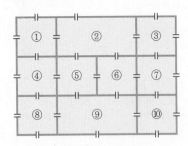

방을 점으로 나타내기   문을 선으로 나타내기

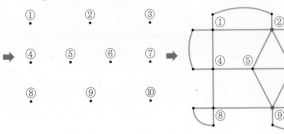

홀수점은 ②번 방과 ⑨번 방이므로 ②번(또는 ⑨번) 방에서 출발하여 9번 (또는 ②번) 방에 도착합니다.

4 입체도형의 꼭짓점은 모두 홀수점입니다. 오른쪽과 같이
홀수점끼리 연결된 선을 두 번씩 지나면 다시 점 ㉠으로
되돌아 올 수 있습니다.

해결 전략
입체도형의 꼭짓점 중 홀수점을 찾습니다.

입체도형의 모서리는 모두 12개이고, 4개의 모서리를
두 번씩 지나가므로 길이가 1 cm인 모서리를 모두 12＋4＝16(번)
지납니다.

따라서 가장 짧은 거리는 16 cm입니다.

최상위 사고력 **13** **최단거리의 가짓수**

13-1. 길의 가짓수

1

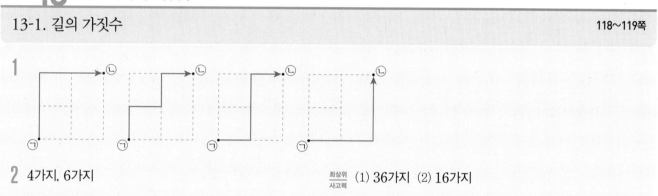

2 4가지, 6가지

최상위
사고력 (1) 36가지 (2) 16가지

저자 톡! 출발점에서 도착점까지 가는 최단거리의 가짓수를 구하는 내용입니다. 처음에는 직접 길을 그려 가며 찾아보고, 길이 복잡하거나 길의 가짓수가 많을 때에는 갈림길에서의 가짓수를 더하는 방법으로 구해 봅니다. 갈림길마다 가짓수를 여러 번 써야 해서 복잡하고 어렵게 느껴질 수 있지만 출발점에서부터 도착점까지 가는 최단거리의 방향성에 주목하여 가짓수를 구할 수 있도록 합니다.

1 점 ㉠에서 점 ㉡까지 최단거리로 가야 하므로 위쪽 또는 오른쪽 방향으로만 갈 수 있습니다.

최단거리는 가장 단순하게 갈 수 있는 길부터 방향을 여러 번 바꾸어 가는 길까지 빠짐없이 모두 찾으면 4가지입니다.

해결 전략
최단거리는 같은 길을 중복하여 가면 안 되고, 왼쪽 또는 아래쪽 방향으로 돌아가면 안 됩니다.

2 갈림길에서 가짓수를 더하는 방법으로 구합니다.

① 1가지로 가는 길 찾기 ② 두 번째 대각선 위의 점까지 가는 길 찾기 ③ 세 번째 대각선 위의 점까지 가는 길 찾기

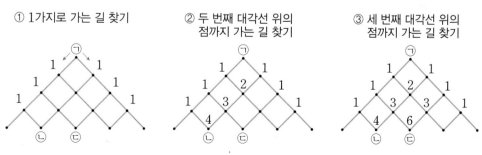

따라서 점 ㉠에서 점 ㉡까지 최단거리로 가는 방법은 4가지, 점 ㉠에서
점 ㉢까지 최단거리로 가는 방법은 6가지입니다.

최상위
사고력

(1) ① 1가지로 가는 길 찾기　② 아래에서 2번째 줄까지 가는 길 찾기　③ 아래에서 3번째 줄까지 가는 길 찾기

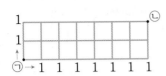 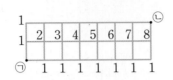 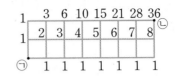

따라서 점 ㉠에서 점 ㉡까지 최단거리로 가는 방법은 모두 36가지입니다.

(2) ① 1가지로 가는 길 찾기　② 위에서 2째 줄까지 가는 길 찾기　③ 위에서 3째 줄까지 가는 길 찾기　④ 위에서 4째 줄까지 가는 길 찾기

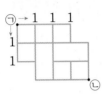 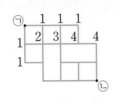 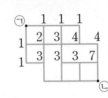 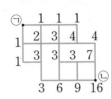

따라서 점 ㉠에서 점 ㉡까지 최단거리로 가는 방법은 모두 16가지입니다.

13-2. 조건이 있는 최단거리의 가짓수

1 60가지	**2** 54가지	최상위 사고력 6가지

저자 톡! 앞에서는 출발점과 도착점까지 가는 최단거리의 가짓수를 구하였다면 이번에는 중간에 들러야 하거나 들르지 말아야 하는 등의 조건이 주어진 상태에서 최단거리의 가짓수를 구하게 됩니다. 갈림길에서의 가짓수를 더하는 방법만으로도 구할 수 있지만 중간에 들러야 하는 상황에서는 덧셈 방법과 곱셈 방법을 함께 사용하여 효율적으로 구할 수 있도록 합니다.

1 집~서점: 20가지, 서점~학교: 3가지

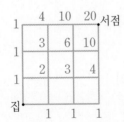 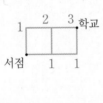

해결 전략
집에서 서점까지 가는 최단거리의 가짓수와 서점에서 학교까지 가는 최단거리의 가짓수를 각각 구합니다.

➡ 집~서점~학교: $20 \times 3 = 60$(가지)

보충 개념
중간에 어떤 지점을 반드시 들렀다 가는 길의 가짓수는 곱셈을 이용하여 구합니다.

㉠ → ㉡ → ㉢의 가짓수 : $2 \times 3 = 6$(가지)

2

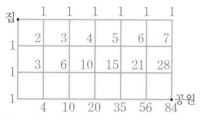

해결 전략
공사중인 곳으로 가는 길을 지우고 최단거리의 가짓수를 구합니다.

따라서 집에서 공원까지 최단거리로 가는 방법은 모두 54가지입니다.

다른 풀이

공사중인 곳에 관계없이 집에서 공원까지 가는 최단거리의 가짓수를 구한 후 집에서 공사중인 곳을 들렀다가 공원까지 가는 최단거리의 가짓수를 빼어 구합니다.

① 집에서 공원까지 가는 최단거리의 가짓수

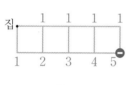

집 ~ 공원 : 84가지

② 집에서 공사중인 곳을 들렀다가 공원까지 가는 최단거리의 가짓수

집 ~ ➖ : 5가지   ➖ ~ 공원 : 6가지

집 ~ ➖ ~ 공원 : 5×6=30(가지)

따라서 집에서 공원까지 최단거리로 가는 방법은 모두 84−30=54(가지)입니다.

최상위 사고력 대각선 길을 2번 지나는 것이 최단거리로 가는 방법이고, ㉠ → ㉢ → ㉣ → ㉤ → ㉥ → ㉡으로 가는 1가지가 있습니다.

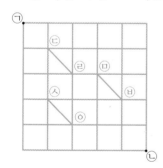

해결 전략
대각선으로 1번 지나는 것이 가로로 1칸, 세로로 1칸 지나는 것보다 더 짧습니다. 대각선 길을 되도록 많이 지나가는 길을 찾습니다.

㉠ → ㉢ → ㉣ → ㉤ → ㉥ → ㉡
(2가지) (1가지) (1가지) (1가지) (3가지)

➡ 2×1×1×1×3=6(가지)

따라서 점 ㉠에서 점 ㉡까지 최단거리로 가는 방법은 모두 6(가지)입니다.

다른 풀이

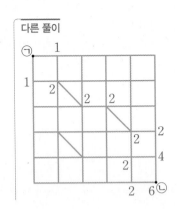

13-3. 입체도형에서의 최단거리의 가짓수

122~123쪽

1 12가지   **2** 8가지   _{최상위}
_{사고력} 25가지

저자 톡!   앞에서는 평면도형에서의 최단거리의 가짓수를 구해 보았다면 이번에는 입체도형에서의 최단거리의 가짓수를 구하게 됩니다. 입체도형에서는 평면도형보다 연결된 길이 복잡하여 매우 어렵게 느껴질 수 있습니다. 입체도형의 보이지 않는 부분의 길을 그린 후, 평면도형에서와 같이 출발점에서 도착점까지 가는 최단거리의 방향성에 주목하여 덧셈 방법으로 가짓수를 구할 수 있도록 합니다.

1

① 1가지로 갈 수 있는 길 찾기   ② 왼쪽 상자에서 갈 수 있는 길 찾기   ③ 오른쪽 상자에서 갈 수 있는 길 찾기

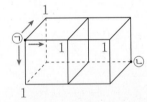 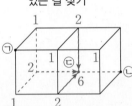 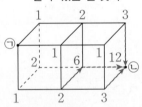

꼭짓점 ㉢에는 세 곳에서 갈 수 있으므로 꼭짓점 ㉢에 가는 길의 가짓수는 2+2+2=6(가지)입니다.

꼭짓점 ㉡에도 세 곳에서 갈 수 있으므로 꼭짓점 ㉡에 가는 길의 가짓수는 6+3+3=12(가지)입니다.

따라서 점 ㉠에서 모서리를 따라 점 ㉡까지 최단거리로 가는 방법은 모두 12가지입니다.

2 다음과 같은 순서로 길의 가짓수를 구합니다.

해결 전략
보이지 않는 모서리를 모두 그려서 생각합니다.

① 1가지로 갈 수 있는 길 찾기   ② 2가지, 3가지로 갈 수 있는 길 찾기   ③ ㉡까지 갈 수 있는 길 찾기

 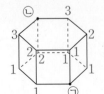 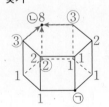

따라서 점 ㉠에서 모서리를 따라 점 ㉡까지 최단거리로 가는 방법은 모두 8가지입니다.

① 1가지로 갈 수 있는 길 찾기

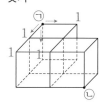

② 첫째 상자까지 갈 수 있는 길 찾기

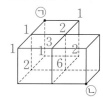

③ 둘째 상자까지 갈 수 있는 길 찾기

③ 셋째 상자까지 갈 수 있는 길 찾기

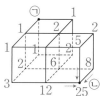

따라서 점 ㉠에서 모서리를 따라 점 ㉡까지 최단거리로 가는 방법은 모두 25가지입니다.

해결 전략
보이지 않는 모서리를 모두 그려서 생각합니다.

최상위 사고력

1 4가지

2 76가지

3 132가지

4 16가지

---

1 각 점들을 연결하여 입구에서 출구까지 가는 정사각형 모양의 길로 바꾸어 생각합니다.

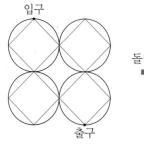

돌리기

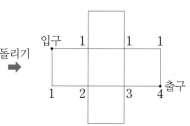

➡ 입구~출구 : 4가지

해결 전략
원 모양의 길을 정사각형 모양의 길로 바꾸어 생각합니다.

2

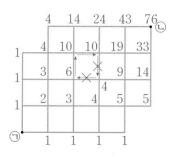

따라서 점 ㉠에서 점 ㉡까지 최단거리로 가는 방법은 모두 76가지입니다.

해결 전략
일방통행로에서 오른쪽과 위쪽으로 갈 수 없는 길은 지우고 생각합니다.

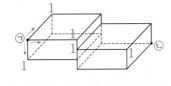

해결 전략
호수가 있는 부분의 길은 지우고 생각합니다.

Grid:
```
   6   11   16   21   32   62  132
1                                •학교
    5    5    5    5   11   30
1                                 70
    4                  19
1              6                  40
    3    6             13
1              6                 21
    2    3    4    5    6    7
1                                 8
집•                                
    1    1    1    1    1    1   1
```

따라서 집에서 학교까지 최단거리로 가는 방법은 132가지입니다.

4 보이지 않는 모서리를 모두 그리고 갈림길에서 가짓수를 더하는 방법으로 구합니다.

해결 전략
보이지 않는 모서리를 모두 그려서 생각합니다.

① 1가지로 갈 수 있는 길 찾기　　② 2가지로 갈 수 있는 길 찾기　　③ 나머지 방법으로 갈 수 있는 길 찾기

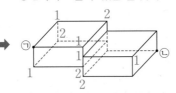 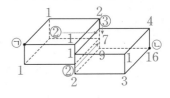

즉, 다음과 같이 수를 써서 찾으면 점 ㉠에서 점 ㉡까지 최단거리로 가는 방법은 모두 16가지입니다.

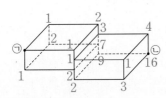

주의
상자 2개가 맞닿은 부분에는 오른쪽과 같은 길이 있습니다.

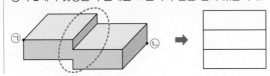

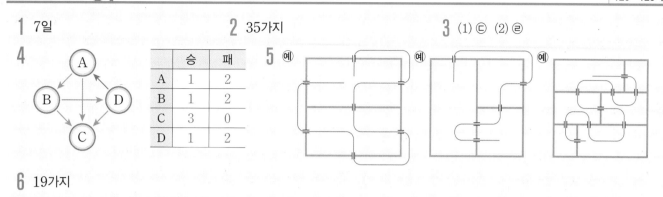

1 7일   **2** 35가지   **3** (1) ㉢ (2) ㉣

4   **5** 예)

6 19가지

---

1 7팀이 리그 방식으로 경기를 한 횟수는 $7 \times (7-1) \div 2 = 21$(번)입니다. 따라서 매일 3번의 시합을 하므로 시합이 모두 끝나려면 $21 \div 3 = 7$(일) 이 걸립니다.

해결 전략
(리그의 경기 수)=□×(□−1)÷2

2 집에서 오른쪽 위로 향하는 길을 따라 갈림길에서의 가짓수를 더하는 방법으로 구합니다.

따라서 집에서 학교까지 최단거리로 가는 방법은 모두 35가지입니다.

3 (1) ㉠ 홀수점 2개   ㉡ 홀수점 2개   ㉢ 홀수점 6개   ㉣ 홀수점 0개

따라서 한붓그리기가 가능하지 않은 도형은 ㉢입니다.

(2) 출발점과 도착점이 같은 도형은 홀수점이 0개인 도형이므로 ㉣입니다.

해결 전략
홀수점이 0개 또는 2개일 때 한붓그리기가 가능합니다.

4 4팀이 리그 방식으로 경기할 때 경기 수는 모두 $4 \times (4-1) \div 2 = 6$(번) 이므로 모든 팀의 이긴 경기의 합이 6번, 진 경기의 합이 6번이 되어야 합니다. A, B, D팀이 1번씩 이기면 C팀은 3번 이기고, A, B, D팀이 2 번씩 이기면 C팀은 이긴 경기가 없습니다. 하지만 C팀이 우승을 하였으 므로 A, B, D팀은 1번씩, C팀은 3번 이긴 것입니다.

따라서 4팀이 리그 방식으로 한 팀이 3번씩 경기하므로 승, 패한 경기 수의 합이 3번이 되도록 표의 빈칸을 채웁니다.

5

홀수점 0개   홀수점 2개   홀수점 2개

해결 전략
방을 점, 문을 선으로 나타내어 그림을 그립니다.

6

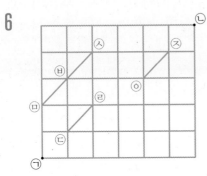

해결 전략
대각선 길을 되도록 많이 지나가는 길을 찾습니다.

대각선 길을 2번 지나가는 것이 최단거리로 가는 방법이고,
다음과 같이 3가지가 있습니다.

① ㉠ → ㉢ → ㉣ → ㉦ → ㉡ : $1 \times 1 \times 1 \times 5 = 5$(가지)

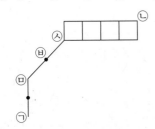

② ㉠ → ㉣ → ㉤ → ㉥ → ㉧ → ㉡ : $2 \times 1 \times 3 \times 1 \times 2 = 12$(가지)

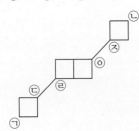

③ ㉠ → ㉢ → ㉣ → ㉥ → ㉧ → ㉡ : $1 \times 1 \times 1 \times 1 \times 2 = 2$(가지)

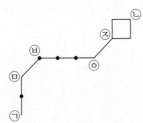

따라서 점 ㉠에서 점 ㉡까지 최단 거리로 가는 방법은 모두
$5 + 12 + 2 = 19$(가지)입니다.

Ⅴ 규칙

이번 단원에서는 실제 친구들과 재미있게 즐길 수 있는 게임인 **14** 님게임과 **15** 재치 게임에 대해 차례로 학습합니다.

14 님게임은 우리가 보통 알고 있는 게임이 아닌 반드시 이길 수 있는 전략이 있는 게임을 말합니다. 님게임의 종류는 '구슬 가져가기', '말 옮기기', '대칭 게임' 등 그 유형이 다양한데 게임에서 이길 수 있는 전략은 모두 비슷한 원리가 적용됩니다. 머릿속으로만 이길 수 있는 방법을 찾는 것은 어른들도 어려울 수 있으므로 구체물을 가지고 직접 친구들과 재미있게 게임을 하고 토론하며 '필승 전략을' 찾아보도록 합니다.

15 재치 게임에서는 수수께끼와 같은 낯선 문제들을 접하며 평소에 생각하지 못했던 다양한 문제 해결 방법을 시도하는 경험을 가져 봅니다.

위의 두 가지 주제는 문제를 해결하기 위한 확실한 방법을 알 수 없어 처음에는 막연한 시행착오를 어느 정도 반복해야 합니다. 하지만 그 과정 속에서 점차 시간을 줄여 문제를 해결할 수 있는 방법은 없는지 끊임없이 생각하는 노력이 필요합니다.

또한 본 교재에 있는 문제 이외에도 조건을 변형하여 새로운 문제 또는 게임을 만들어 보도록 합니다. 예를 들어 구슬 가져가기 님게임에서 '전체 구슬의 수'를 9개에서 10개로 늘리거나 '한 번에 가져갈 수 있는 구슬의 수'를 2개에서 3개로 바꿀 수 있습니다. 이와 같은 '문제 만들기'는 그 문제에 대한 이해도를 높일 수 있고 문제 해결에 필요한 개념과 원리를 잘 파악할 수 있어 진정한 수학 실력을 높일 수 있는 효과적인 수학 공부 방법이 될 것입니다.

최상위 사고력 **14** 님게임

14-1. 구슬 가져가기   130~131쪽

1 (1) ②, ④, ⑥, ⑧, ⑩ (2) ①, ④, ⑦, ⑩ (3) ③, ⑥, ⑨

최상위 사고력

(1) 2월

일	월	화	수	목	금	토
					1	2
3	④	5	6	7	⑧	9
10	11	⑫	13	14	15	⑯
17	18	19	⑳	21	22	23
㉔	25	26	27	㉘		

(2) 3월

일	월	화	수	목	금	토
					①	②
③	4	5	6	⑦	8	9
10	⑪	12	13	14	⑮	16
17	18	⑲	20	21	22	㉓
24	25	26	㉗	28	29	30
㉛						

저자 톡! 가위바위보, 바둑, 체스 등과 같이 우리가 보통 알고 있는 게임들은 처음부터 이길 수 있는 방법이 없습니다. 하지만 처음부터 이길 수 있는 방법을 알 수 있는 게임이 있습니다. 하지만 머릿속으로만 해법을 찾기는 쉽지 않으므로 그림을 그리거나 구체물을 사용하는 등 직접 게임을 해 보며 반드시 이길 수 있는 전략을 찾도록 합니다.

---

1 ① ② ③ ④ ⑤ ⑥ ⑦ ⑧ ⑨ ⑩

(1) 마지막 구슬을 가져가는 사람이 이기므로 ⑩번 구슬을 가져가는 사람이 이깁니다.

⑩번 구슬을 가져가기 위해서는 그 전의 자기 차례에 ⑧번 구슬을 가져가면 됩니다.

같은 방법으로 ⑧번 구슬을 가져가기 위해서는 그 전의 자기 차례에 ⑥번 구슬을, ⑥번 구슬을 가져가기 위해서는 그 전의 자기 차례에

> **해결 전략**
> 거꾸로 생각하여 내가 이기려면 마지막에 몇 개의 구슬이 있어야 하는지 찾아봅니다.

④번 구슬을, ④번 구슬을 가져가기 위해서는 그 전의 자기 차례에 ②번 구슬을 가져가면 됩니다.

따라서 상대방이 ①번 구슬을 가져가게 하고 다음 차례에 ②번 구슬을 가져갑니다.

(2) 마지막 구슬을 가져가는 사람이 이기므로 ⑩번 구슬을 가져가는 사람이 이깁니다.

⑩번 구슬을 가져가기 위해서는 그 전의 자기 차례에 ⑦번 구슬을 가져가면 됩니다.

(내가 ⑨번 구슬을 가져가면 상대가 ⑩번 구슬을 가져가게 되고, 내가 ⑧번 구슬을 가져가면 상대가 ⑨, ⑩번 2개의 구슬을 가져가서 내가 집니다.)

같은 방법으로 ⑦번 구슬을 가져가기 위해서는 그 전의 자기 차례에 ④번 구슬을, ④번 구슬을 가져가기 위해서는 그 전의 자기 차례에 ①번 구슬을 가져가면 됩니다.

따라서 먼저 시작하여 ①번 구슬을 가져갑니다.

(다음 차례부터는 상대와 내가 가져가는 구슬의 수의 합이 3이 되도록 가져갑니다. 즉, 상대가 1개를 가져가면 나는 2개를, 상대가 2개를 가져가면 나는 1개를 가져갑니다.)

(3) 마지막 구슬을 가져가는 사람이 지므로 ⑨번 구슬을 가져가는 사람이 이깁니다.

⑨번 구슬을 가져가기 위해서는 그 전의 자기 차례에 ⑥번 구슬을 가져가면 됩니다.

(내가 ⑧번 구슬을 가져가면 상대가 ⑨번 구슬을 가져가게 되고, 내가 ⑦번 구슬을 가져가면 상대가 ⑧,⑨번 2개의 구슬을 가져가서 내가 집니다.)

같은 방법으로 ⑥번 구슬을 가져가기 위해서는 그 전의 자기 차례에 ③번 구슬을, ③번 구슬을 가져가기 위해서는 내가 먼저 가져가면 안 됩니다.

따라서 두 번째에 구슬을 가져가야 합니다.

(내 차례에 구슬을 가져갈 때는 상대와 내가 가져가는 구슬의 수의 합이 3이 되도록 가져갑니다. 즉, 상대가 1개를 가져가면 나는 2개를, 상대가 2개를 가져가면 나는 1개를 가져갑니다.)

보충 개념

님게임의 기본 승리 전략은 다음과 같습니다.

■: 바둑돌의 총 개수
▲: 한 번에 가져갈 수 있는 최대 개수
●: 한 번에 가져갈 수 있는 최소 개수

〈마지막 구슬을 가져가면 이기는 게임〉

■÷(▲+●)=몫…나머지

〈마지막 구슬을 가져가면 지는 게임〉

(■-1)÷(▲+●)=몫…나머지

→ 나머지가 있는 경우 먼저 시작하여 처음에 나머지만큼의 개수를 가져가고, 나머지가 없는 경우 나중에 시작합니다.

지도 가이드

옛날 서양의 선술집 탁자 위에는 성냥갑이 하나씩 놓여 있었습니다. 사람들은 이 성냥개비로 여러 가지 게임을 하였는데 가장 유명한 게임이 '님게임'입니다.

Nim이라는 말은 옛날 영어의 nim 또는 독일어 nimm에서 유래되었다고 하는데 둘다 '가져간다'라는 뜻입니다. 또한 WIN을 거꾸로 돌려서 NIM이 되었다는 이야기도 있습니다.

반드시 이길 수 있는 방법이 있는 게임을 님게임이라고도 하는데, 님게임은 게임 자체보다는 규칙을 분석하여 필승 전략을 알아내는 데 그 즐거움이 있습니다.

처음 님게임은 두 사람이 성냥개비 13개 중에서 1~3개를 번갈아가며 가져가다가 마지막 남은 성냥개비를 가져가는 사람이 지는 게임이었습니다. 이후에 가져가는 성냥개비의 개수, 가져가는 순서 등을 바꾸어 가며 다양한 모습으로 발전하였습니다.

최상위 사고력 (1) 마지막 날을 지우는 사람이 이기는 게임이고, $28 \div 4 = 7$로 나머지가 없으므로 날짜를 나중에 지워야 이길 수 있습니다. 이때 상대가 지우는 날수와 내가 지우는 날수의 합이 항상 4가 되도록 지웁니다.

(2) 마지막 날을 지우는 사람이 이기는 게임이고, $31 \div 4 = 7 \cdots 3$으로 나머지가 3이므로 먼저 1, 2, 3일을 지웁니다. 다음 차례부터는 상대가 지우는 날수와 내가 지우는 날수의 합이 항상 4가 되도록 지웁니다.

해결 전략
상대와 내가 지우는 날수의 합이 항상 4가 되도록 지웁니다.

14-2. 말 옮기기
132~133쪽

1 먼저 옮기는 것이 유리합니다.

2 먼저 시작하여 오른쪽 2칸에 있는 점으로 선을 잇습니다.

최상위 사고력 먼저 시작하여 축구공을 왼쪽 또는 아래쪽으로 1칸 움직입니다.

저자 톡! 앞에서 학습한 님게임을 말 옮기기 형태로 변형하여 반드시 이길 수 있는 전략을 찾는 내용입니다. 님게임은 실제로 상대방과 직접 게임을 하며 반드시 이길 수 있는 방법을 찾아보는 것이 가장 좋은 학습 방법입니다. 한 번에 해법을 찾기보다 님게임의 기본 해법인 이기는 상태를 가정하여 거꾸로 생각하기 전략을 이용해 보도록 합니다. 이외에도 다양한 방법으로 님게임을 변형하여 나만의 님게임을 만들어 보면서 수학의 유용성과 흥미를 느낄 수 있도록 합니다.

1 검은 바둑돌과 흰 바둑돌 사이에 7칸이 있습니다. 거꾸로 생각하면 내 차례에 남아 있는 칸이 0칸, 2칸, 4칸, 6칸과 같이 짝수 칸만큼 남게 만들어야 합니다. 즉, $7 \div 2 = 3 \cdots 1$이므로 내가 먼저 옮기는 것이 유리합니다.

해결 전략
이기기 위해서 마지막에 몇 칸을 남겨야 하는지 거꾸로 생각해 봅니다.

2

끝점에 선분을 잇기 위해 선분을 이어야 하는 점을 거꾸로 찾아봅니다.
• ①~③ 중에 ②번 점으로 선을 이어야 합니다.
내 차례에 ① 또는 ③을 이으면 상대방이 끝점에 도착하게 되어 지게 됩니다.
• ④~⑧ 중에 ⑥번 점으로 선을 이어야 합니다.
⑤ 또는 ⑦을 이으면 상대방이 ②를 잇고, ④ 또는 ⑧을 이으면 상대방이 끝점에 도착하게 되어 지게 됩니다.
• ⑨~⑮ 중에 ⑫번 점으로 선을 이어야 합니다.
⑪ 또는 ⑬을 이으면 상대방이 ⑥을 잇고, ⑩ 또는 ⑭를 이으면 상대방이 ②를 잇고, ⑨ 또는 ⑮를 이으면 상대방이 끝점에 도착하게 되어 지게 됩니다.
따라서 먼저 시작하여 시작점에서부터 ⑫까지 선분을 긋습니다.

최상위 사고력 색칠한 칸에서부터 내 차례에 움직이면 안 되는 칸에 ×표 하여 찾습니다.

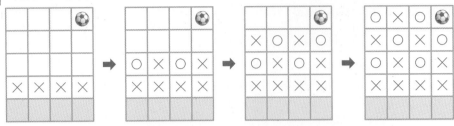

따라서 게임에서 이기기 위해서는 먼저 시작하여 축구공을 왼쪽 또는 아래쪽으로 1칸 움직입니다.

14-3. 대칭 게임

134~135쪽

1 먼저 시작하여 왼쪽 접시에서 구슬 2개를 가져갑니다. 다음 차례부터는 상대방이 가져가는 접시와 다른 쪽 접시에서 상대방이 가져가는 구슬의 개수만큼 구슬을 가져갑니다.

2 먼저 시작하여 아래 줄에 있는 흰 바둑돌을 왼쪽으로 2칸 움직입니다. 다음 차례부터는 검은 바둑돌이 움직이는 줄과 다른 줄에 있는 흰 바둑돌을 검은 바둑돌이 움직이는 칸 수만큼 움직입니다.

최상위 사고력

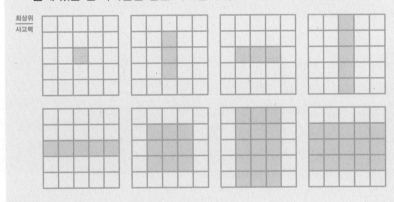

[저자 톡!] 앞에서 학습한 기본적인 님게임과 변형된 님게임에 이어 이번에는 '대칭'의 개념이 더해진 님게임을 해 봅니다. '두 접시 님게임', '말 옮기기 게임', '색칠 게임'을 차례로 접해 보며 대칭의 원리가 어떻게 적용되는지 경험해 봅니다.

1 내 차례에 한쪽 접시에 있는 구슬이 모두 없어지게 만들면 상대방이 나머지 접시에 있는 구슬을 모두 가져가서 내가 지게 됩니다.
따라서 내 차례에는 양쪽에 구슬이 모두 있는 상태로 만들어야 합니다.
또한 상대방이 가져가는 구슬의 개수만큼, 나도 다른 접시에서 구슬을 가져가면 내 차례에 다음과 같이 양쪽 접시에 똑같은 개수의 구슬이 남도록 만들 수 있으므로 절대로 내 차례에 빈 접시가 놓이지 않습니다.
(왼쪽 접시에 놓인 구슬의 수, 오른쪽 접시에 놓인 구슬의 수)
$= (4,4), (3,3), (2,2), (1,1)$
따라서 게임에서 이기기 위해서는 먼저 시작하여 왼쪽 접시에서 구슬 2개를 가져가야 합니다.

> **주의**
> 구슬을 가져갈 때는 양쪽 접시에 있는 구슬을 동시에 가져갈 수 없습니다. 따라서 10개의 구슬을 가져가는 님게임으로 생각하면 안됩니다.

2 두 접시에서 구슬을 가져가는 1번 문제의 형태를 바꾼 문제입니다. 윗줄을 왼쪽 접시로, 아랫줄을 오른쪽 접시로 생각하고 검은 바둑돌과 흰 바둑돌 사이의 칸 수를 구슬의 수로 생각합니다. 윗줄의 두 바둑돌 사이에 남은 칸이 3칸이고 아래 줄의 두 바둑돌 사이에 남은 칸이 5칸입니다. 따라서 흰 바둑돌이 이기기 위해서는 아래 줄에 있는 흰 바둑돌을 먼저 왼쪽으로 2칸 움직여 두 줄에 있는 두 바둑돌 사이의 칸 수를 같게 만들어야 합니다. 다음 차례부터는 검은 바둑돌이 움직이는 줄과 다른 줄을 선택하여 검은 바둑돌이 움직이는 칸 수만큼 흰 바둑돌을 움직입니다.

_{최상위}
_{사고력} 먼저 다음 8가지 방법 중 1가지 방법으로 색칠한 후 다음 차례부터는 상대방이 색칠한 것과 점대칭이 되도록 색칠하면 반드시 이깁니다.

<table>
<tr><td>주의</td></tr>
<tr><td>색칠할 때는 반드시 직사각형 모양으로 색칠하도록 합니다.</td></tr>
</table>

<table>
<tr><td>해결 전략</td></tr>
<tr><td>점대칭 : 한 도형을 어떤 점을 중심으로 180° 돌렸을 때, 처음 도형과 완전히 겹치는 도형
대칭의 중심 : 점대칭 도형을 180° 돌렸을 때 완전히 겹치게 하는 점</td></tr>
</table>

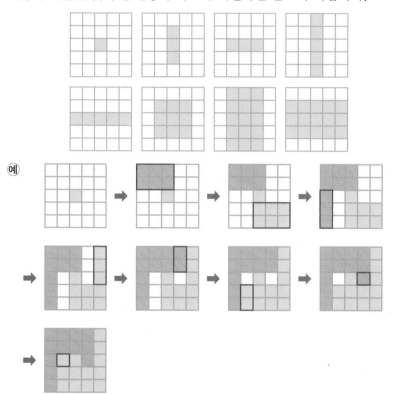

예

지도 가이드

다음은 오성과 한음에 나오는 이야기 중 하나입니다.

조선 시대에 정승을 지낸 이항복이 어렸을 때 중국 대신이 집에 방문하여 이항복의 아버지에게 바둑 한 수를 청했는데 중국 대신의 실력이 보통이 아니었습니다. 그런데 중국 대신이 국가의 명예가 걸린 내기 바둑을 제안하여 이항복의 아버지는 심각한 고민에 빠졌습니다.

이때 장난꾸러기 아들인 이항복이 자기가 두어보겠다며 자신만만하게 나섰습니다. 아들이 바둑을 잘 둔다는 이야기를 들어본 적이 없었지만 평소 꾀 많고 영특한 아들이기에 이항복의 아버지는 아들을 믿고 바둑을 두게 하였습니다.

뜻밖에도 이 내기 바둑에서 이긴 자는 어린 이항복이었습니다. 이때 이항복이 쓴 작전이 '흉내바둑'인데 흉내바둑은 상대가 두는 대로 한가운데 점을 대칭의 중심으로 하여 점대칭이 되도록 따라두는 바둑을 말합니다.

1 먼저 시작하여 1, 2, 3, 4 네 개의 수를 부릅니다. 다음 차례부터는 상대방이 부른 수의 개수와 내가 부른 수의 개수의 합이 5개가 되도록 번갈아 가며 수를 부릅니다.

2 (1) 점이 11개인 꺾인 길(①)쪽으로 검은 바둑돌을 움직입니다.

　(2) 점이 10개인 곧은 길(②)쪽으로 검은 바둑돌을 움직입니다.

3 (1) 나중에 선분을 긋습니다.　(2) 먼저 양쪽에 점이 5개씩 되도록 두 점을 선분으로 잇습니다. 다음 차례부터는 상대방이 선분을 그으면 처음에 그은 선분을 중심으로 반대편에 똑같이 대칭이 되도록 선분을 긋습니다.

---

1 마지막에 100을 부른 사람이 지므로 내 차례에 99를 불러야 합니다.
상대가 부른 수와 내가 부른 수의 개수가 항상 5개가 되도록 만들고
$99 \div 5 = 19 \cdots 4$이므로 내가 먼저 1, 2, 3, 4 네 개의 수를 부릅니다.
다음 차례부터는 상대방이 부른 수의 개수와 내가 부른 수의 개수의 합이 5개가 되도록 번갈아가며 수를 부릅니다.

㉠ (상대, 나)＝((5), (6, 7, 8, 9)), ((5, 6), (7, 8, 9)),
　　　　　　((5, 6, 7), (8, 9)), ((5, 6, 7, 8), (9))

마지막으로 내 차례에 99를 부르게 되므로 상대가 100을 불러 내가 반드시 이기게 됩니다.

해결 전략
상대가 부른 수와 내가 부른 수의 개수가 항상 5개가 되도록 부를 수 있습니다. 내가 불러야 하는 수를 거꾸로 생각하여 찾아봅니다.

2

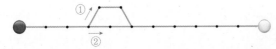

바둑돌이 지나갈 수 있는 길은 위쪽으로 꺾인 길(①)과 곧은 길(②) 2가지입니다.
꺾인 길은 점이 11개, 곧은 길은 점이 10개입니다.
내 차례에 반드시 바둑돌을 움직이려면 내 차례에 남아 있는 점이 2개, 4개……와 같이 짝수개만큼 남아야 합니다.
꺾인 길로 지나가는 경우에는 $11 \div 2 = 5 \cdots 1$이므로 먼저 움직여야 하고, 곧은 길로 지나가는 경우에는 $10 \div 2 = 5$이므로 나중에 움직여야 합니다.

3 (1) 원 위에 있는 8개의 점을 이어 그을 수 있는 선분은 모두
$8 \times 7 \div 2 = 28$(개)입니다. 마지막에 선분을 그으려면 내 차례에 이을 수 있는 선분이 0개, 2개, 4개……와 같이 짝수 개만큼 남게 해야 이기므로 나중에 선분을 그어야 합니다.

해결 전략
선대칭: 한 도형을 한 직선을 따라 접어서 완전히 포개어지는 경우를 말합니다.

(2)

먼저 원을 반으로 나누는 두 점을 잇습니다. 다음 차례부터는 상대방이 선분을 그으면 가운데 선분을 기준으로 반대편에 똑같이 선대칭이 되도록 선분을 긋습니다.

15-1. 성냥개비 퍼즐

1 (1) $52-24=28$ (2) $13\times6=78$

2
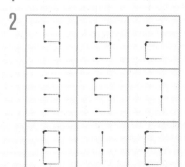

최상위
사고력 (1) (2) 예
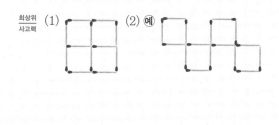

저자 톡! 성냥개비 문제는 창의적인 생각과 다양한 방법으로 시도하는 끈기가 요구되어 창의사고력을 시험하는 문제로 자주 출제됩니다. 이번에는 성냥개비 1개를 옮겨 잘못된 뺄셈식, 곱셈식을 올바른 식으로 바꾸어 보고, 성냥개비 3개를 옮겨 주어진 개수의 정사각형을 만들어 봅니다. 또한 성냥개비 문제는 성냥개비 외에도 연필, 막대와 같은 구체물을 실제로 사용하여 문제를 해결할 수 있어 학생들이 수학에 대한 흥미를 가질 수 있는 주제입니다. 주어진 문제 이외에도 다양한 성냥개비 문제를 스스로 찾아보며 수학에 대한 즐거움을 느낄 수 있는 시간을 갖도록 합니다.

1 (1)

$53-24=28$

주어진 식을 바르게 계산하면 $53-24=29$입니다. 잘못된 식의 계산 결과는 28이므로 29를 1 작은 28로 바꾸기 위해서는 빼어지는 수를 1 작게 만들거나, 빼는 수를 1 크게 만들면 됩니다. 빼어지는 수 53을 1 작게 만들려면 일의 자리 숫자 3을 2로 바꾸면 됩니다.

그러나 빼는 수 24를 1 크게 만들 수 없습니다.
따라서 올바른 식은 $52-24=28$입니다.

(2)

$19\times6=70$

주어진 식을 바르게 계산하면 $19\times6=114$로 계산 결과가 세 자리 수입니다. 따라서 곱하는 두 수 중 하나의 수를 작게 만들거나 계산 결과를 세 자리 수로 크게 만들어야 하는데 계산 결과를 세 자리 수로 크게 만들 수는 없습니다.
곱하는 두 수를 작게 만들기 위해서는 다음과 같은 경우가 있습니다.
① 곱해지는 수를 작게 만드는 경우

1개 옮기기
1개 빼기
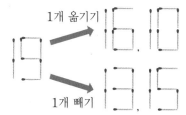

② 곱하는 수를 작게 만드는 경우

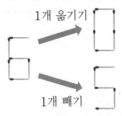

이 중에서 가능한 경우는 19를 13으로 바꾸는 경우입니다.
따라서 올바른 식은 13×6=78입니다.

2 1부터 9까지의 수의 합은 1+2+3+4+5+6+7+8+9=45이
고 가로 세 줄에 있는 수의 합은 모두 같아야 하므로 가로 한 줄에 있는
세 수의 합은 45÷3=15입니다.
또한 각 세로줄과 대각선 줄에 있는 세 수의 합도 15이므로 세 수의 합
이 15가 아닌 줄의 숫자끼리 바꿉니다.

해결 전략
각 줄에 있는 세 수의 합이 15가 되도록 바
꾸어야 할 숫자를 찾습니다.

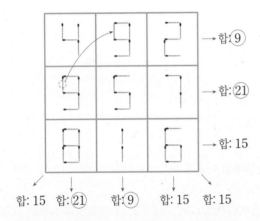

최상위
사고력
(1) 주어진 도형에서 정사각형은 3개이므로 정사각형 2개가 더 생기도록
만들어야 합니다. 사용된 성냥개비는 12개이므로 작은 정사각형끼리
변을 최대한 많이 공유하도록 성냥개비 3개를 움직입니다.

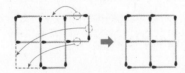

작은 정사각형: 4개, 큰 정사각형: 1개

(2) 주어진 도형을 만드는 데 사용된 성냥개비는 16개입니다. 작은 정사
각형 1개를 만드는 데 필요한 성냥개비는 4개(16÷4=4)이므로 변
을 공유하지 않는 작은 정사각형 4개가 만들어지도록 성냥개비 3개
를 움직입니다.

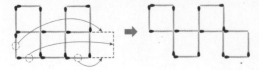

주의
문제에서 정사각형의 크기는 주어지지 않았
으므로 똑같은 크기의 정사각형만 생각하지
않도록 합니다.

다른 풀이
이외에도 여러 가지 답이 있습니다.

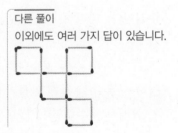

1 $653\underline{41}2 \rightarrow 6532\underline{14} \rightarrow 65\underline{4}123 \rightarrow 654321 \rightarrow 123456$

2

최상위
사고력 예

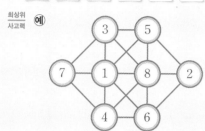

저자 톡! 일정한 규칙에 따라 수의 자리를 바꾸어 목표수를 만들거나 조건에 맞게 수를 배열하는 내용입니다. 보통 이런 유형의 문제는 수를 무작정 넣어 시행착오를 되풀이 하게 됩니다. 하지만 몇 번의 시도를 하다 보면 시행착오를 줄이는 방법을 찾을 수 있습니다. 계획없이 수를 넣어 문제를 해결하지 말고 효율적인 방법을 찾아 문제를 해결해 봅니다.

1 ① 4를 5 옆으로 한 번에 보낼 수 없으므로 먼저 4를 오른쪽 끝으로 보냅니다.

$653412 \rightarrow 653214$

② 4를 5 옆으로 보냅니다.

$653214 \rightarrow 654123$

③ 수의 순서가 완전히 거꾸로 되도록 만듭니다.

$654123 \rightarrow 654321$

④ 수가 순서대로 놓이도록 바꿉니다.

$654321 \rightarrow 123456$

해결 전략
4를 5 옆으로 보내는 방법을 먼저 생각합니다.

2 4 를 놓을 수 있는 방법은 3가지입니다.

① 4 ☐ ☐ ☐ 4 ☐ ☐ ☐

② ☐ 4 ☐ ☐ ☐ 4 ☐ ☐

③ ☐ ☐ 4 ☐ ☐ ☐ 4 ☐

이 중에 ①과 ③은 대칭이므로 한 가지만 찾아봅니다.

놓는 방법의 가짓수가 적은 **3** → **2** → **1** 의 순서로 카드를 놓아 봅니다.

① 4 ☐ 3 ☐ ☐ 4 3 ☐ ➡ 4 ☐ 2 3 ☐ ☐ 2 4 3

➡ (불가능) 1 을 놓을 수 없습니다.

4 ☐ 3 ☐ ☐ 4 3 ☐ ➡ 4 ☐ 3 ☐ ☐ 2 4 3 2

➡ 4 1 3 1 2 4 3 2

4 ☐ ☐ 3 ☐ 4 ☐ 3 ➡ 4 2 ☐ 3 2 4 ☐ 3

➡ (불가능) 1 을 놓을 수 없습니다.

해결 전략
놓을 수 있는 방법이 가장 적은 4 부터 놓아 봅니다.

주의
이와 같은 문제를 스코틀랜드 수학자 랭퍼드의 이름을 따서 랭퍼드 문제라고 합니다. 랭퍼드 문제는 특별한 해법이 없어서 시행착오를 줄일 수 있는 방법을 찾아 풀어야 합니다.

② <kbd>3</kbd> <kbd>4</kbd> <kbd></kbd> <kbd>3</kbd> <kbd></kbd> <kbd>4</kbd> <kbd></kbd> ➡ <kbd>3</kbd> <kbd>4</kbd> <kbd>2</kbd> <kbd></kbd> <kbd>3</kbd> <kbd>2</kbd> <kbd>4</kbd> <kbd></kbd>

➡ (불가능) <kbd>1</kbd> 을 놓을 수 없습니다.

<kbd></kbd> <kbd>4</kbd> <kbd></kbd> <kbd>3</kbd> <kbd></kbd> <kbd>4</kbd> <kbd>3</kbd> ➡ <kbd></kbd> <kbd>4</kbd> <kbd>2</kbd> <kbd>3</kbd> <kbd></kbd> <kbd>2</kbd> <kbd>4</kbd> <kbd>3</kbd>

➡ (불가능) <kbd>1</kbd> 을 놓을 수 없습니다.

따라서 놓을 수 있는 방법은 <kbd>4</kbd> <kbd>1</kbd> <kbd>3</kbd> <kbd>1</kbd> <kbd>2</kbd> <kbd>4</kbd> <kbd>3</kbd> <kbd>2</kbd>,

<kbd>2</kbd> <kbd>3</kbd> <kbd>4</kbd> <kbd>2</kbd> <kbd>1</kbd> <kbd>3</kbd> <kbd>1</kbd> <kbd>4</kbd> 의 두 가지입니다.

최상위 사고력 선으로 연결된 곳이 가장 많은 자리는 ㉠과 ㉡ 자리로 각각 6개씩 선으로 연결되어 있습니다.

1부터 8까지의 수 중 이웃하지 않은 수가 6개인 수를 찾으면 다음과 같이 1과 8 두 수가 있습니다.

1과 이웃하지 않은 수: 3, 4, 5, 6, 7, 8
2와 이웃하지 않은 수: 4, 5, 6, 7, 8
3과 이웃하지 않은 수: 1, 5, 6, 7, 8
4와 이웃하지 않은 수: 1, 2, 6, 7, 8
5와 이웃하지 않은 수: 1, 2, 3, 7, 8
6과 이웃하지 않은 수: 1, 2, 3, 4, 8
7과 이웃하지 않은 수: 1, 2, 3, 4, 5
8과 이웃하지 않은 수: 1, 2, 3, 4, 5, 6

해결 전략
선으로 연결된 곳이 가장 많은 자리에 들어갈 수부터 구합니다.

① ㉠과 ㉡ 자리에 들어갈 수 있는 수는 1과 8입니다.

② 1과 연결되지 않은 오른쪽 끝에 2를 넣고, 8과 연결되지 않은 왼쪽 끝에 7을 씁니다.

③ 나머지 3, 4, 5, 6을 이웃하지 않게 씁니다.

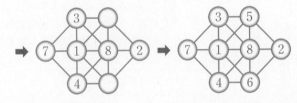

이외에도 모양을 돌리고 뒤집는 방법에 따라 여러 가지 답이 있습니다.

1 예

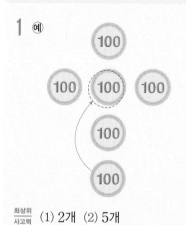

2

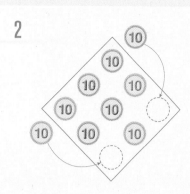

최상위
사고력   (1) 2개 (2) 5개

저자 톡! 앞에서 학습한 성냥개비 문제와 같이 동전이나 구슬을 움직여 일정한 모양 또는 개수만큼 놓이도록 배열합니다. 이러한 유형의 문제를 '브레인 티저 문제'라고 하는데 기존의 틀에 얽매이지 않으면서 발상의 전환이 필요하여 붙여진 이름입니다. 수학 문제를 푼다기보다 수수께끼나 퍼즐을 푸는 것과 같이 재미있게 접근해 보면서 또 다른 수학적 안목을 키울 수 있는 기회를 가져 봅니다.

1 가로 한 줄에 3개, 세로 한 줄에 4개의 동전이 있습니다. 가로 한 줄에 놓인 동전을 4개로 늘리면 세로 한 줄에 놓인 동전의 개수가 줄어들고, 세로 한 줄에 놓인 동전을 다시 4개로 늘리면 가로 한 줄에 놓인 동전의 개수가 줄어들므로 이와 같은 방법으로는 조건에 맞게 만들 수 없습니다.

> 해결 전략
> 6개의 동전 중에서 동전 1개를 선택하여 다양하게 움직여 보고, 조건에 맞게 만들 수 있는지 알아봅니다. 만들 수 없으면 다른 방법을 생각합니다.

> **지도 가이드**
> 이와 같은 유형의 문제를 브레인 티저(Brain—teaser) 문제라고 합니다.
> 브레인 티저는 기존의 틀에 얽매이지 않는 발상의 전환으로 해결해야 하는 퍼즐이나 문제를 말합니다. 우리에게는 낯선 유형의 문제이지만 구글, 아마존과 같은 미국의 유명한 기업 입사 면접에서 자주 나오는 문제입니다. 주로 정확한 답보다는 문제 대처능력, 창의성, 적응력을 평가하는 문제로 출제됩니다.

2 주어진 동전 배열을 이용하여 만들 수 있는 정사각형 모양은 다음 2가지입니다.

> 해결 전략
> 먼저 정사각형 모양이 어떻게 놓일지 그림을 그려 찾아봅니다.

이 중에서 첫 번째 모양은 동전 2개를 움직여서 만들 수 없습니다.
따라서 두 번째 모양을 이용하여 찾아봅니다.

최상위
사고력   처음 만든 모양과 180°만큼 돌린 모양이 가장 많이 겹치도록 180°만큼 돌린 모양을 그려 봅니다. 이때 겹쳐지지 않은 ○를 삼각형의 빈 곳으로 옮겨 180°만큼 돌린 모양을 만듭니다.

(1)   (2)

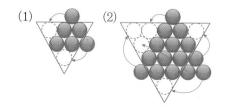

1 ㈜

2 ㈜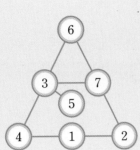

3 (1) 12, 8, 4 (2)

---

1 마름모는 네 변의 길이가 모두 같은 사각형입니다. 성냥개 비4개로 만들 수 있는 마름모 모양을 생각하며 성냥개비 3개를 옮겨 봅니다.

2 이외에도 시작하는 점의 위치와 점을 잇는 방향에 따라 여러 가지 답이 나올 수 있습니다.

해결 전략
그은 선이 점 밖에 있으면 안 된다는 고정관 념을 깨면 간단하게 풀 수 있습니다.

3 화살표가 가리키는 수는 각 수와 선으로 연결된 수의 합을 나타냅니다.
   (2) $1 \rightarrow 12(=3+4+5)$
       $3 \rightarrow 8(=1+2+5)$
       $5 \rightarrow 4(=1+3)$

   (2)
   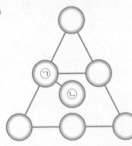

$3 \rightarrow 22(=4+5+6+7)$이고, 네 수와 연결되어 있는 곳은 ㉠이므로 ㉠=3입니 다.

해결 전략
연결된 수의 합이 가장 큰 수인 3의 자리부 터 찾아봅니다.

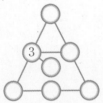

$4 \rightarrow 4(=1+3)$이므로 4는 1과 3, 두 수와 연결된 곳에 들어갑니 다.

• 4가 3 위쪽에 있는 경우

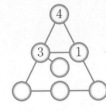

3과 연결된 네 수는 4, 5, 6, 7이므로 이 경우는 불가능합니다.

• 4가 3 아래쪽에 있는 경우

1 → 6(=4+2)이므로 2는
1 오른쪽에 들어갑니다.

5 → 3이므로 ⓛ에 들어갈 수
있는 수는 5뿐입니다.

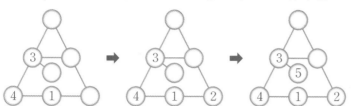

2 → 8(=1+7)이므로 7은
2 위에 들어갑니다.

6 → 10(=3+7)이므로 6이
나머지 한 칸에 들어갑니다.

Review V 규칙

|146~148쪽

1 나중에 시작하여 상대방이 가져가는 접시와 반대쪽 접시에서 상대방이 가져가는 구슬의 개수만큼 구슬을 가져갑니다.

2 먼저 시작하여 꽃잎 1장을 떼어 냅니다. 다음 차례부터는 상대방이 떼어 낸 꽃잎 수와의 합이 3이 되도록 번갈아가며 꽃잎을 떼어 냅니다.

3

(도형 1: 1 4 / 5 3 6 2)   또는   (도형 2: 6 3 / 2 4 1 5)

4 시작●

끝

5 왼쪽에서 2번째 컵의 물을 5번째 컵으로 옮겨 붓습니다.

6 7번

1 내 차례에 한쪽 접시에 있는 구슬이 모두 없어지게 만들면 상대방이 나머지 접시에 있는 구슬을 모두 가져가서 내가 지게 됩니다.
따라서 내 차례에는 양쪽에 구슬이 모두 있는 상태로 만들어야 합니다.
또한 상대방이 가져가는 구슬의 개수만큼, 나도 다른 접시에서 구슬을 가져가면 내 차례에 다음과 같이 양쪽 접시에 똑같은 개수의 구슬이 남도록 만들수 있으므로 절대로 내 차례에 빈 접시가 놓이지 않습니다.

(왼쪽 접시에 놓인 구슬의 수, 오른쪽 접시에 놓인 구슬의 수)
＝(5,5), (4,4), (3,3), (2,2), (1,1)
따라서 게임에서 이기기 위해서는 나중에 시작하여 상대방이 가져가는 접시와 다른 쪽 접시에서 상대방이 가져가는 구슬의 개수만큼 구슬을 가져갑니다.

2

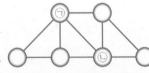

구슬 8개를 가져가는 게임으로 생각합니다. 마지막 구슬을 가져가는 사람이 지므로 ⑦번 구슬을 가져가는 사람이 이깁니다.

- ⑦번 구슬을 가져가기 위해서는 그 전의 자기 차례에 ④번 구슬을 가져가면 됩니다.
- ④번 구슬을 가져가기 위해서는 그 전의 자기 차례에 ①번 구슬을 가져가면 됩니다.

따라서 먼저 시작하여 구슬 1개를 가져가면 이길 수 있습니다.

즉, 먼저 시작하여 꽃잎 1장을 떼어 내고 다음 차례부터는 상대방이 떼어 낸 꽃잎 수와의 합이 3이 되도록 번갈아 가며 꽃잎을 떼어 냅니다.(상대방이 2장을 떼어내면 1장, 1장을 떼어 내면 2장을 떼어 냅니다.)

3

선으로 연결된 곳이 가장 많은 자리는 ㉠ 자리로 4개의 선으로 연결되어 있습니다.
1부터 6까지의 수 중 이웃하지 않은 수가 4개인 수를 찾으면 다음과 같이 1과 6 두 수입니다.

1과 이웃하지 않은 수 : 3,4,5,6 (4개)
2와 이웃하지 않은 수 : 4,5,6 (3개)
3과 이웃하지 않은 수 : 1,5,6 (3개)
4와 이웃하지 않은 수 : 1,2,6 (3개)
5와 이웃하지 않은 수 : 1,2,3 (3개)
6과 이웃하지 않은 수 : 1,2,3,4 (4개)

해결 전략
선으로 연결된 곳이 가장 많은 자리에 들어갈 수부터 구합니다.

① 따라서 ㉠과 ㉡ 자리에 들어갈 수 있는 수는 1과 6입니다.

② 1과 연결되지 않은 오른쪽 끝에 2를 넣고, 6과 연결되지 않은 왼쪽 끝에 5를 넣습니다.

 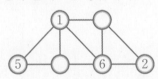

③ 나머지 3과 4를 이웃하는 수가 선으로 연결되지 않도록 빈 곳에 알맞게 넣습니다.

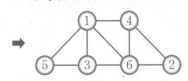

4 끝점에 선분을 잇기 위해서 선분을 이어야 하는 점을 끝점에서부터 거꾸로 생각하여 찾습니다.

×표 한 점에 선을 이으면 다음 차례에 민지가 끝점으로 선을 이어 수영이가 집니다. 따라서 수영이는 ① 번 점으로 선분을 이어야 합니다.

×표 한 점에 선을 이으면 다음 차례에 민지가 ①번 점으로 선을 이을 수 있습니다. 따라서 수영이는 ②번 점으로 선분을 이어야 합니다.

×표 한 점에 선을 이으면 다음 차례에 민지가 ②번 점으로 선을 이을 수 있습니다. 따라서 수영이는 ③번 점으로 선분을 이어야 합니다.

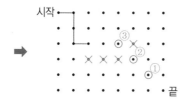

따라서 게임에서 이기기 위해서는 수영이가 이번 차례에 ③번 점까지 선분을 그어야 합니다.

6 처음 만든 모양과 180°만큼 돌린 모양이 가장 많이 겹치도록 모양을 그려 봅니다.

이때 겹치지 않은 바둑돌을 180°만큼 돌린 모양의 빈 곳으로 옮깁니다.

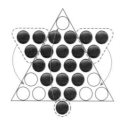

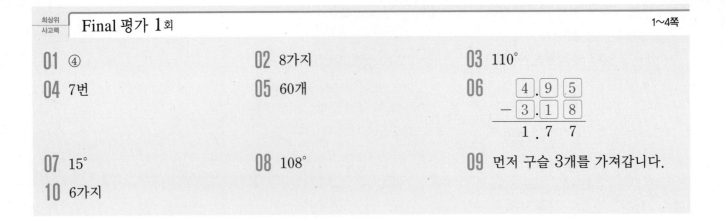

01 ④

02 8가지

03 110°

04 7번

05 60개

06

```
    4 . 9  5
  - 3 . 1  8
  ─────────
    1 . 7  7
```

07 15°

08 108°

09 먼저 구슬 3개를 가져갑니다.

10 6가지

01 붓을 한 번도 종이 위에서 떼지 않고 같은 곳을 두 번 지나지 않으면서 도형을 그리는 것을 한붓그리기라고 합니다. 한붓그리기가 가능한 도형은 홀수점이 0개 또는 2개인 도형입니다.

각 도형의 홀수점의 개수는 ① 0개 ② 0개 ③ 2개 ④ 6개 ⑤ 0개이므로 한붓그리가 불가능한 도형은 ④입니다.

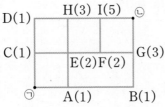

02 최단거리로 가는 방법의 가짓수는 갈림길에서 가짓수를 더하는 방법으로 구합니다.

```
D(1)        H(3) I(5)  ⓛ
  ┌─────┬────┬────┐
C(1)     │    │    │
  │     E(2)F(2) │G(3)
  │      │    │    │
  └─────┴────┴────┘
ⓙ     A(1)      B(1)
```

• 점 ⓙ에서 A, B, C, D로 가는 방법은 각각 1가지입니다.
• 점 ⓙ에서 E로 가는 방법은 A를 지나거나 C를 지나는 방법이 있으므로 1+1=2(가지)입니다.
• 점 ⓙ에서 F로 가는 방법은 E를 지나가는 방법 밖에 없으므로 2가지입니다.
• 점 ⓙ에서 G로 가는 방법은 B를 지나거나 F를 지나는 방법이 있으므로 1+2=3(가지)입니다.
• 점 ⓙ에서 H로 가는 방법은 D를 지나거나 E를 지나는 방법이 있으므로 1+2=3(가지)입니다.
• 점 ⓙ에서 I로 가는 방법은 F를 지나거나 H를 지나는 방법이 있으므로 2+3=5(가지)입니다.
• 점 ⓙ에서 점 ⓛ로 가는 방법은 G를 지나거나 I를 지나는 방법이 있으므로 3+5=8(가지)입니다.

따라서 점 ⓙ에서 점 ⓛ까지 최단거리로 가는 방법은 모두 8가지입니다.

03 선분 ㄱㄴ과 선분 ㅁㅂ에 수직이 되도록 점 ㄴ, ㄷ, ㄹ, ㅁ을 지나는 4개의 선분을 긋습니다.

평행선에서 엇각의 성질을 이용하면 (각 ㄹㅁㅂ)=20°+90°=110°입니다.

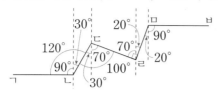

> **다른 풀이**
> ① 선분 ㄱㄴ과 선분 ㅁㅂ이 서로 평행하므로 선분 ㅁㅂ을 길게 연장합니다.
> ② 수직이 되도록 점 ㄴ, ㄷ을 지나는 2개의 선분을 긋고 연장한 선과 만나는 부분을 점 ㅅ, ㅇ이라고 합니다.
>
>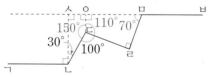
>
> 사각형 ㅅㄴㄷㅇ에서 각 ㄴㄷㅇ은 360°−(90°+30°+90°)=150°입니다.
> 사각형 ㅇㄷㄹㅁ에서 각 ㅇㄷㄹ은 360°−150°−100°=110°입니다.
> 사각형 ㅇㄷㄹㅁ에서 각 ㄹㅁㅇ은 360°−90°−110°−90°=70°입니다.
> 따라서 각 ㄹㅁㅂ은 180°−70°=110°입니다.

04 한 번에 2명씩 경기를 하고 이긴 사람만 다른 사람과 또 경기할 수 있습니다. (즉, 진 사람은 경기에서 탈락합니다.)

우승자가 결정되려면 우승자 1명 이외에 8−1=7(명)의 탈락자가 나와야 하므로 7번 경기를 해야 합니다.

05 바둑판 모양에서 사각형의 개수는 (가로 한 줄에 있는 사각형의 개수)×(세로 한 줄에 있는 사각형의 개수)를 이용하여 구합니다.

주어진 그림의 가로줄은 모두 평행하므로 바둑판 모양에서 사각형의 개수를 구하는 방법과 같은 방법으로 사다리꼴의 개수를 구할 수 있습니다.

가로 한 줄에 있는 사다리꼴의 개수는 4+3+2+1=10(개)이고, 세로 한 줄에 있는 사다리꼴의 개수는 3+2+1=6(개)이므로 크고 작은 사다리꼴의 개수는 모두 10×6=60(개)입니다.

06 뺄셈식을 덧셈식으로 바꾸어 생각합니다.

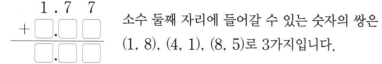

소수 둘째 자리에 들어갈 수 있는 숫자의 쌍은 (1, 8), (4, 1), (8, 5)로 3가지입니다.

① 소수 둘째 자리 숫자의 쌍이 (1, 8)인 경우

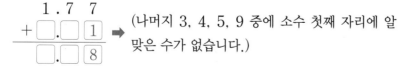

(나머지 3, 4, 5, 9 중에 소수 첫째 자리에 알맞은 수가 없습니다.)

② 소수 둘째 자리 숫자의 쌍이 (4, 1)인 경우

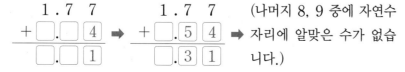

(나머지 8, 9 중에 자연수 자리에 알맞은 수가 없습니다.)

③ 소수 둘째 자리 숫자의 쌍이 (8, 5)인 경우

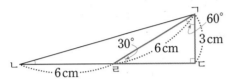

따라서 알맞은 뺄셈식은 다음과 같습니다.

$$\begin{array}{r} \boxed{4}.\boxed{9}\,\boxed{5} \\ -\ \boxed{3}.\boxed{1}\,\boxed{8} \\ \hline 1\ .\ 7\ \ 7 \end{array}$$

07 삼각형 ㄱㄹㄷ은 한 변의 길이가 6cm인 정삼각형의 반쪽입니다.

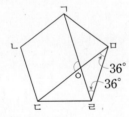

따라서 (각 ㄱㄹㄷ)=30°, (각 ㄱㄹㄴ)=180°−30°=150°이고
삼각형 ㄱㄴㄹ은 이등변삼각형이므로
(각 ㄱㄴㄹ)=180°−150°=30°, 30°÷2=15°입니다.

08 정오각형의 한 각의 크기는
180°×(5−2)÷5=540°÷5=108°입니다.
삼각형 ㄱㄹㅁ은 이등변삼각형이므로
(각 ㄱㄹㅁ)=(180°−108°)÷2=36°이고,
삼각형 ㄷㄹㅁ도 이등변삼각형이므로 각 ㄷㅁㄹ=36°입니다.

따라서 삼각형 ㅇㄹㅁ에서 (각 ㅁㅇㄹ)=180°−36°−36°=108°이고
(각 ㄱㅇㅁ)=72°입니다.
따라서 (각 ㄱㅇㄷ)=108°입니다.

09 11개의 구슬에 ①부터 ⑪까지 번호를 붙인 후 마지막에 ⑪번 구슬을 가져가는 사람이 이기는 게임으로 생각해 봅니다.

• ⑪을 가져가야 이깁니다.

⑪을 가져가기 위해서는 ⑦을 가져가야 합니다. (⑩을 가져가면 상대가 ⑪을, ⑨를 가져가면 상대가 (⑩⑪)을, ⑧을 가져가면 상대가 (⑨⑩⑪)을 가져갈 수 있습니다.)

구슬이 1개, 2개, 3개, … 남아 있다고 가정하여 내 차례에 몇 개를 가져가야 하는지 거꾸로 생각합니다.

해결 전략

- 위와 같은 방법으로 생각하면 ⑦을 가져가기 위해서는 ③을 가져가야 합니다.

구슬은 모두 11개 있고 한 번에 3개까지 가져갈 수 있으므로 먼저 시작하여 3개의 구슬(①②③)을 가져가면 이깁니다.

> **다른 풀이**
> 상대방이 몇 개를 가져가든 내가 상대방 다음에 구슬을 가져갈 때 상대방과 내가 가져가는 구슬의 합이 항상 4개가 되도록 할 수 있습니다.
> 즉, (상대방, 나)=(3개, 1개), (2개, 2개), (1개, 3개)
> 11÷4=2…3이므로 내가 3개를 먼저 가져가면 8개가 남아 상대가 몇 개를 가져가든 상대방과 합쳐서 4개씩 가져갈 수 있으므로 내가 마지막 구슬을 가져가게 됩니다.

10 밑변이 될 수 있는 길이는 다음과 같이 4가지입니다.

> **해결 전략**
> 점판 위에 이등변삼각형의 밑변이 될 수 있는 것을 기준으로 찾아봅니다.

밑변을 기준으로 두 변의 길이가 같은 이등변삼각형을 찾으면 다음과 같이 6가지가 나옵니다.

최상위 사고력 | **Final 평가 2회** 5~8쪽

01 $2\frac{1}{7}$

02 15번

03 먼저 시작하여 다음과 같이 오른쪽 2칸 위치의 점에 선분을 잇습니다.

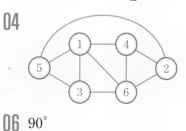

04

05 ④

06 90°

07 18가지

08 45°

09 8개

10 40°

---

01 늘어놓은 분수를 가분수로 나타내어 봅니다.

$$\frac{5}{7},\ \frac{10}{7},\ \frac{15}{7},\ \frac{20}{7},\ \frac{25}{7},\ \cdots\cdots$$

분모는 모두 7로 같고, 분자는 5, 10, 15, 20, 25, ……로 5씩 커지는 규칙이 있습니다.

따라서 10번째 분수는 $\dfrac{5\times 10}{7}=\dfrac{50}{7}$, 13번째 분수는 $\dfrac{5\times 13}{7}=\dfrac{65}{7}$

이므로 두 수의 차는 $\dfrac{65}{7}-\dfrac{50}{7}=\dfrac{15}{7}=2\dfrac{1}{7}$ 입니다.

02 다음과 같이 학생을 원 위에 점으로, 악수하는 것을 두 점을 잇는 선분으로 나타내어 봅니다.

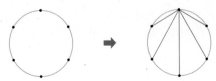

학생 수: 6명   한 사람이 악수하는 횟수: 5번

한 사람이 악수하는 횟수는 5번이고, 모두 6명이 있으므로 모두
$5\times 6=30$(번) 악수합니다. 하지만 악수는 한 번에 2명씩 하는 것이므로 중복되는 경우를 생각하면 악수를 한 횟수는 모두 $30\div 2=15$(번)입니다.

03 끝점에 선분을 잇기 위해서 필요한 점을 끝점에서부터 거꾸로 생각하여 찾습니다.

끝점에 선분을 잇기 위해서는 내 차례에 ×표한 곳에 선분을 이으면 안됩니다.
①에 이으면 상대방이 ×표한 곳에 선분을 잇게 됩니다.

①에 선분을 잇기 위해서는 내 차례에 ×표한 곳에 선분을 이으면 안됩니다.
②에 이으면 상대방이 × 또는 ×표한 곳에 선분을 잇게 됩니다.

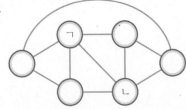

따라서 먼저 시작하여 ②번 점에 선분을 이으면 반드시 이깁니다.

04

1부터 6까지의 수 중에 이웃한 수가 가장 적은 수는 1과 6입니다.
따라서 연결된 선이 가장 많은 ㉠과 ㉡ 안에 이웃한 수가 가장 적은 1과 6을 써넣고, 선으로 연결된 곳에 이웃한 수가 놓이지 않도록 나머지 수를 써넣습니다.

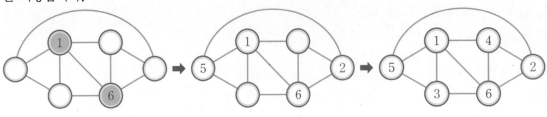

05 정삼각형과 정사각형을 겹쳐서 다음과 같은 도형을 만들 수 있습니다.

따라서 네 변의 길이가 모두 같은 ④ 마름모는 만들 수 없습니다.

06

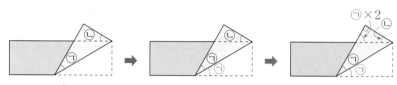

접히기 전 부분과 접힌 부분의 각은 서로 같습니다.

평행선과 한 직선이 만날 때 동위각의 크기는 서로 같습니다.

따라서 직각삼각형에서 나머지 두 각의 크기의 합은 90°이므로
㉠×2+㉡=90°입니다.

> **다른 풀이**
>
>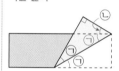
>
> 평행선에서 엇각의 크기는 서로 같습니다.
> 따라서 큰 직각삼각형에서 나머지 두각의 크기의 합은 90°이므로
> (㉡+㉠)+㉠=90°입니다.

> **해결 전략**
> 접은 도형에서 크기가 같은 각을 찾고, 평행선과 한 직선이 만날 때 동위각과 엇각의 성질을 이용합니다.

07 대각선을 2번 지나는 길(㉠ → ㉢ → ㉣ → ㉤ → ㉥ → ㉡)이
점 ㉠에서 점 ㉡까지 최단거리로 가는 방법입니다.

> **해결 전략**
> 대각선 길을 되도록 많이 지나가도록 합니다.

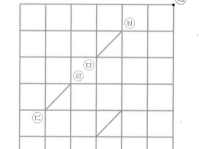

 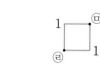

㉠+㉢ :   ㉣+㉤ :   ㉥+㉡ :
　1+2=3(가지)　　1+1=2(가지)　　2+1=3(가지)
따라서 최단거리로 가는 방법은 3×2×3=18(가지)입니다.

109 정답과 풀이

08 (변 ㄱㄴ)=(변 ㄴㅁ)=(변 ㄴㄷ)이므로, 삼각형 ㄱㅁㄴ과 삼각형 ㄴㅁㄷ은 모두 이등변삼각형입니다.

각 ㄷㄴㅁ은 정육각형의 한 각이므로 120°이고

삼각형 ㄴㅁㄷ에서 (각 ㄴㅁㄷ)=180°−120°=60°, 60°÷2=30°입니다.

또한 각 ㄱㄴㄷ은 정사각형의 한 각이므로 90°이고,

(각 ㄱㄴㅁ)=360°−90°−120°=150°입니다.

삼각형 ㄱㅁㄴ에서 (각 ㄱㅁㄴ)=180°−150°=30°, 30°÷2=15°입니다.

따라서 (각 ㄱㅁㄷ)=15°+30°=45°입니다.

09 점판 위에 점 ㉠을 한 점으로 하는 평행사변형의 한 변이 될 수 있는 것을 기준으로 찾아봅니다. 평행사변형의 한 변이 될 수 있는 것은 다음과 같이 3가지입니다.

해결 전략
점판 위에 평행사변형의 한 변이 될 수 있는 것을 기준으로 찾아봅니다.

한 변을 기준으로 평행사변형을 찾으면 모두 8가지가 나옵니다.

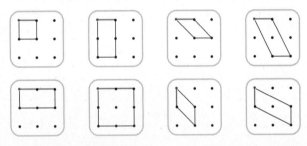

정사각형, 직사각형도 평행사변형이므로 빠뜨리지 않고 셉니다.

10 삼각형 ㄱ′ㄴ′ㄷ은 삼각형 ㄱㄴㄷ을 점 ㄷ을 중심으로 20°만큼 회전한 것이므로 (각 ㄱㄷㄱ′)=20°입니다.

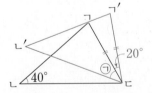

삼각형 ㄱㄴㄷ과 삼각형 ㄱ′ㄴ′ㄷ은 모양과 크기가 같은 삼각형이므로

삼각형 ㄱㄷㄱ′에서 (선분 ㄱㄷ)=(선분 ㄱ′ㄷ)이고

한 각의 크기가 20°인 이등변삼각형입니다.

따라서 (각 ㄷㄱ′ㄱ)=180°−20°=160°, 160°÷2=80°이고,

(각 ㄱ′ㄴ′ㄷ)=40°입니다.

삼각형 ㄱ′ㄴ′ㄷ에서 (각 ㄱ′ㄷㄴ′)=180°−80°−40°=60°이므로

㉠=60°−20°=40°입니다.

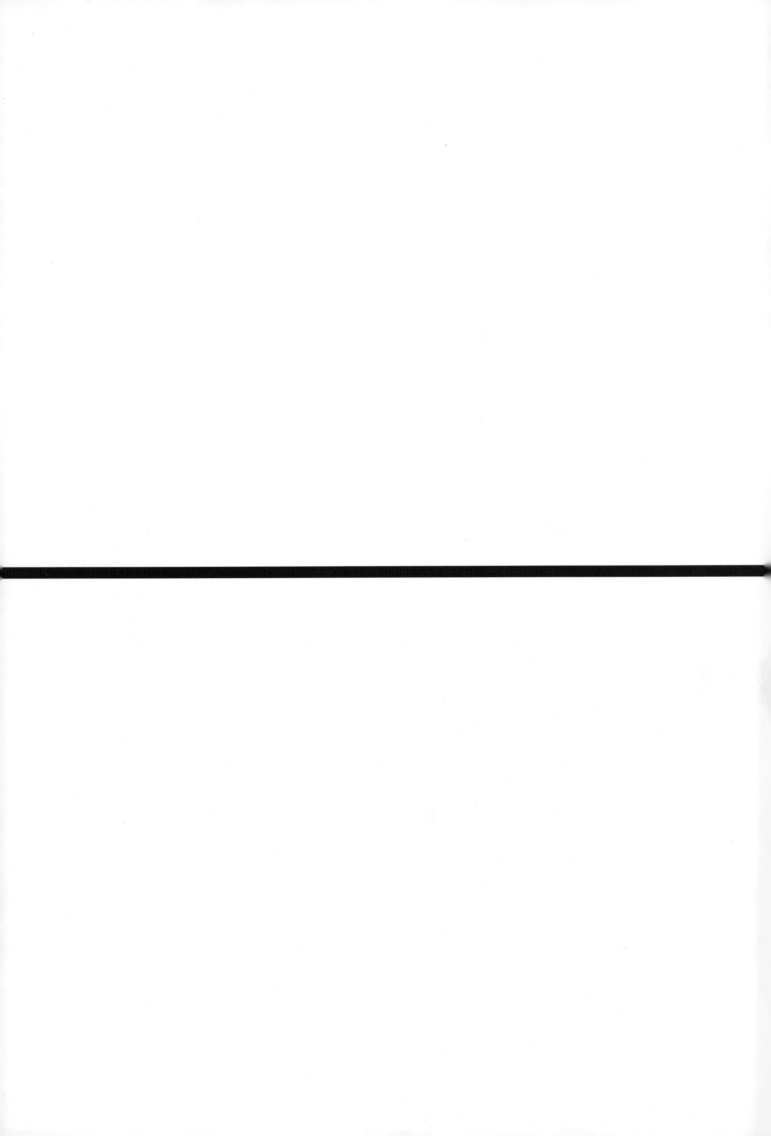

심화 완성 최상위 수학S, 최상위 수학

개념부터
심화까지

수학 좀 한다면

상위권의 힘, 사고력 강화
최상위 사고력

따라올 수 없는 자신감!
디딤돌 초등 라인업을 만나 보세요.

수준별 수학 기본서	디딤돌 초등수학 원리	3~6학년	교과서 기초 학습서
	디딤돌 초등수학 기본	1~6학년	교과서 개념 학습서
	디딤돌 초등수학 응용	3~6학년	교과서 심화 학습서
	디딤돌 초등수학 문제유형	3~6학년	교과서 문제 훈련서
	디딤돌 초등수학 기본+응용	1~6학년	한권으로 끝내는 응용심화 학습서
	디딤돌 초등수학 기본+유형	1~6학년	한권으로 끝내는 유형반복 학습서

상위권 수학 학습서	최상위 초등수학 S	1~6학년	심화 개념 · 심화 유형 학습서
	최상위 초등수학	1~6학년	심화 개념 · 심화 유형 학습서
	최상위 사고력	7세~초등 6학년	경시 · 영재 · 창의사고력 학습서
	3% 올림피아드	1~4과정	올림피아드 · 특목중 대비 학습서

연산학습 교재	최상위 연산은 수학이다	1~6학년	수학이 담긴 차세대 연산 학습서

국사과 기본서	디딤돌 초등 통합본(국어 · 사회 · 과학)	3~6학년	교과 진도 학습서

국어 독해력	디딤돌 독해력	1~6학년	수능까지 연결되는 초등국어 독해 훈련서